Merci aux membres du comité de lecture, Martine Laffon, Catherine Peugeot et Alba Zamolo, pour leur regard lucide, professionnel et tonifiant. Merci tout particulièrement à Catherine qui a apporté toute sa compétence et son amitié à l'affinage des titres et des textes.
Merci à Annie Madec qui a réuni avec efficacité et bonne humeur une iconographie sans cesse modifiée par les auteurs.
Merci à Céline Julhiet-Charvet qui a suivi l'élaboration de ce livre jusqu'à la venue de Fanny.
Merci à Chloé Demey qui a pris le relais au pied levé.
Merci à Frédéric Célestin qui n'a pas ménagé son temps pour concevoir, adapter, peaufiner la maquette.
Merci à Anne de Margerie qui est à l'origine du projet et à Béatrice Foulon qui l'a soutenu avec enthousiasme.
Merci à Jean Galard pour son œil aiguisé.
Merci à Karine Barou, Hugues Charreyron, Annick Duboscq et à tous ceux qui ont participé à ce voyage au cœur du Louvre.

Marie Sellier est auteur de livres pour enfants
et directrice de la collection « L'enfance de l'art »
publiée par la Réunion des musées nationaux.
Violaine Bouvet-Lanselle est responsable des éditions
au Service culturel du musée du Louvre.

À Vianney, Flamine, Julien, Baptiste, Pierre et Dora.

Conception graphique et mise en pages : Frédéric Célestin

© Éditions de la Réunion des musées nationaux, 1999
49, rue Étienne-Marcel
75001 Paris
ISBN : 2-7118-3836-6

# Voyage au cœur du Louvre

Marie Sellier

Violaine Bouvet-Lanselle

Réunion
des Musées
Nationaux

C'est le plus grand musée du monde,
une ville dans la ville,
une caverne d'Ali Baba remplie de trésors
de tous les temps.
Au cœur de Paris,
sous la pyramide de cristal,
le Louvre offre des millions de merveilles
au visiteur ébloui.
À ne plus savoir où donner de la tête !
Pour vous, nous en avons choisi plus de 200.
Parce que nous les aimons,
parce que ces objets, ces peintures, ces sculptures
nous racontent l'histoire du monde,
notre histoire.
Certaines œuvres sont connues,
très connues parfois,
d'autres le sont moins
et vous donneront peut-être envie
d'aller dans les salles,
à leur recherche.
Si vous avez ce désir-là,
alors, nous aurons réussi notre pari :
piquer votre curiosité,
aiguiser votre appétit de l'art.
Prêt ?
Un grand voyage vous attend au cœur du Louvre.
Descendons ensemble sous la pyramide
à la rencontre des témoins
de milliers d'années d'histoire…

# ORIENT ANCIEN

## Mystérieuse Mésopotamie

Tout commence en Mésopotamie, il y a plus de 10 000 ans. C'est là, dans ce « Pays entre deux fleuves », le Tigre et l'Euphrate, que naît la plus ancienne civilisation du monde. Peu à peu, les hommes se regroupent en villages, domestiquent les animaux sauvages, commencent à faire pousser des grains. Plus tard, ils inventent l'écriture. Autrefois grandiose, aujourd'hui mystérieuse, cette civilisation mésopotamienne a rayonné pendant des milliers d'années.

*Statuette féminine, vers 6000 avant J.-C.*

### La plus vieille femme

Cette minuscule petite femme en albâtre est la plus ancienne statuette du musée du Louvre. Elle a été retrouvée dans une tombe sous le sol d'une maison. Toute en rondeurs, elle représente sans doute une déesse-mère qui rendait fertiles les champs et les femmes.

*Ebih Il, l'intendant, vers 2400 avant J.-C.*

*Tablette à écriture précunéiforme, vers 3000 avant J.-C.*

### La première écriture

Cette tablette fait le compte des femmes, des céréales et des vaches appartenant à un village ou à un seigneur. Les dessins gravés dans l'argile sont des pictogrammes, la première écriture de tous les temps.

*Tête de Goudea,
vers 2120
avant J.-C.*

*Goudea au vase
jaillissant,
vers 2120
avant J.-C.*

*Code de
Hammourabi,
vers 1750
avant J.-C.*

*Goudea assis,
vers 2120
avant J.-C.*

## ▶ Un sourire qui ne vieillit pas

L'intendant Ebih II est un personnage si
important qu'il a sa statue dans un temple
face à la Déesse-Mère. Sa jupe de
cérémonie est en peau de mouton. Le
regard confiant, les mains croisées, il prie.

## Le prince éternellement jeune

Le jeune prince Goudea est impassible sous son bonnet à larges bords.
Assis ou debout, mains jointes ou
serrées autour d'un vase d'où jaillit
l'eau de vie… Le Louvre possède
une vingtaine de statues de celui
qui régna sur le royaume de Lagash.

## Une loi en pierre

Hammourabi est le puissant roi de
Babylone. Pour que nul ne l'ignore,
il fait graver sa loi sur de grandes
pierres et les place dans toutes les
villes de son royaume. Au-dessus
des 3 000 lignes de texte, il se fait
représenter face à Shamash,
le dieu du Soleil et de la Justice.

7

# Les redoutables Assyriens

Un puissant empire domine la longue histoire de la Mésopotamie : celui des Assyriens. Ce sont des guerriers sanguinaires. Leurs rois ont la folie des grandeurs. Ils se font construire des palais immenses qui dépassent en splendeur tout ce qu'on peut imaginer. Ainsi, celui de Sargon II, à Khorsabad, est une ville en soi.

## Gueule de lion

Drôle de vase ! L'eau s'écoule par la gueule du lion. Il a été retrouvé loin de Mésopotamie, en Turquie, où l'a apporté un riche marchand assyrien.

## Génies géants

Ce géant ailé aux mollets musclés est un génie protecteur. Il bénit le palais du roi à l'aide d'une pomme de cèdre qu'il plonge dans un petit seau rempli d'eau précieuse.

*Vase en forme de lion, vers 1950-1750 avant J.-C.*

*Génie bénisseur, palais d'Assournasirpal II, vers 865 av. J.-C.*

## Le roi des mauvais esprits

Au dos de cette petite statuette en bronze, on peut lire : « Je suis Pazouzou, fils de Hampa, le roi des mauvais esprits. Les vents qui sortent violemment des montagnes en faisant rage, c'est moi. » Les Assyriens croient en une multitude de dieux et de génies bons ou mauvais, parfois les deux : on s'adresse aussi à Pazouzou pour chasser les maladies !

▼

*Le démon Pazouzou, vers 900 avant J.-C.*

*Taureau androcéphale ailé, vers 720 avant J.-C.*

## À cinq pattes

Ces gigantesques taureaux à tête humaine protègent l'entrée du palais de Sargon II, à Khorsabad. Ils ont la particularité d'avoir cinq pattes pour être vus aussi bien de face que de profil, au repos comme en marche. Chacun d'eux pèse plus de trois tonnes. Les transporter au Louvre a été un véritable tour de force.

# Splendide Perse

À l'est de la Mésopotamie, l'empire Perse déploie sa splendeur et rayonne sur tout l'Orient. Il y a 2500 ans, Darius Iᵉʳ se fait appeler « le Roi des Rois ». La décoration de son monumental palais de Suse est luxueuse et raffinée. Rien n'est trop beau pour Darius le Magnifique.

*Génie mythologique dit « Le Balafré », vers 2800 avant J.-C.*

*« Princesse à crinoline », vers 1800 avant J.-C.*

*Bouquetin ailé, vers 350 avant J.-C.*

## Les ailes du petit bouc

Ce délicat bouquetin ailé est sans doute l'anse d'une amphore disparue. Les Perses font grand usage d'or, d'argent, de pierres précieuses et de bois rares pour orner leurs palais et leurs objets.

*Frise des archers, palais de Darius, vers 500 avant J.-C.*

## La belle et le balafré

Mille ans séparent ces deux statues en pierre ! Elles ont été façonnées par les artisans réputés de Bactriane, une région montagneuse au nord de l'Iran actuel. La grosse dame dans sa robe en peau de mouton est probablement une princesse. L'homme au visage patibulaire barré d'une cicatrice a le corps recouvert d'écailles de serpent. C'est un génie.

*Griffon,*
*palais de Darius,*
*vers 500 avant J.-C.*

## Taureaux perchés

Ces deux taureaux sculptés dans le calcaire se trouvaient dans la salle d'audience du roi. Placés sur une immense colonne de 21 mètres de haut, ils supportaient une lourde charpente en bois de cèdre. En tout, il y avait 72 colonnes dans la salle !

## Des guerriers jumeaux

Ces archers sont des guerriers victorieux qui défilent en robe de cour et non en tenue de combat. Grandeur nature, ils sont en brique émaillée de couleurs vives et décorent les hautes murailles de la résidence de Darius en compagnie d'animaux de légende : griffons, taureaux ailés et sphinx.

*Chapiteau du palais de Darius I<sup>er</sup>, vers 500 avant J.-C.*

# Égypte

## Les dieux mènent le jeu

Quittons l'Orient ancien pour découvrir un univers fascinant : l'Égypte ancienne. Cette civilisation, qui a duré 3 000 ans, ne ressemble à aucune autre. Les dieux y sont innombrables et tout-puissants. Si le soleil se lève et se couche tous les jours, c'est grâce à eux. Si le Nil déborde chaque année, si des enfants naissent, c'est parce qu'ils le veulent bien. Pour s'assurer leur protection, les Égyptiens construisent des temples gigantesques qu'ils peuplent de statues. Le roi d'Égypte, Pharaon, est lui-même un dieu sur terre.

*Tête bleue, entre 1400 et 1340 avant J.-C.*

### Toutankhamon

Cette toute petite tête mesure 9 centimètres de haut. Elle est en pâte de verre et représente sans doute le jeune pharaon Toutankhamon, dont le règne fut très court. Sa tombe est l'une des rares à avoir été retrouvée intacte avec tous ses trésors.

### Le dieu découpé en morceaux

Emmailloté dans un linceul comme une momie, Osiris est le dieu des morts. Ce n'est pas un hasard : il a lui-même été assassiné puis découpé en morceaux par son frère, Seth. C'est Isis, sa femme, qui lui a permis de retrouver ses pouvoirs. ▶

*Taharqa adorant le dieu-Faucon, vers 700 avant J.-C.*

### Une grande magicienne

Isis est une si grande magicienne qu'elle a réussi à recoller les morceaux d'Osiris, son mari, découpé par son frère jaloux.

*Statuette d'Isis, IVe-Ier siècle avant J.-C.*

### À genoux devant le dieu Faucon

Ce petit homme agenouillé est le puissant pharaon Taharqa. Il présente une offrande au dieu Faucon.

*Statue
d'Osiris,
vers 330
avant J.-C.*

*La déesse Hathor
et Séthi I$^{er}$,
vers 1294-1279
avant J.-C.*

## La déesse et le pharaon

Cette belle jeune femme est Hathor, la déesse
de la Beauté et de l'Amour. Coiffée de cornes
de vache et d'un disque solaire, elle offre un
collier précieux au pharaon Séthi I$^{er}$.

## Un colosse
## aux yeux en amande

Aménophis IV se fait appeler Akhenaton en
hommage à Aton, le disque du soleil. Il est le
seul pharaon égyptien à n'adorer qu'un seul dieu.
Il aime se faire représenter en famille
avec sa femme, la belle Néfertiti, et ses filles.

*Colosse
d'Aménophis IV,
vers 1353-1357
avant J.-C.*

# Vivre et mourir au bord du Nil

Les Égyptiens pensent que la vie dans l'au-delà est la même que sur terre. Pour ne pas avoir de surprises, ils décorent les murs de leurs tombes de scènes représentant la vie de tous les jours, un peu comme une bande dessinée, et se font enterrer avec leurs objets familiers. Ce sont les peintures, les statues et les objets retrouvés dans les tombes qui nous permettent aujourd'hui d'imaginer comment vivaient les Égyptiens il y a trois mille ans.

### Dans le même panier

Ces paniers semblent avoir servi hier et pourtant ils ont plus de 3 500 ans ! L'air très sec des tombes les a conservés intacts. Aujourd'hui on en utilise encore de semblables.

*Trois paniers, vers 1786-1555 avant J.-C.*

### Au travail ▶

Ici, un artiste inconnu décrit en détail les travaux des champs, des semailles aux moissons. À cette époque, 9 Égyptiens sur 10 sont des paysans.

### Plein d'hippopotames

À l'époque, les hippopotames pullulent dans le Nil. Ceux-ci sont en faïence bleue, bleue comme le grand fleuve qui fait la richesse de l'Égypte. Chaque année, le Nil déborde et dépose une boue noire très fertile, le limon, sur les rives.

*Hippopotames bleus, entre 2000 et 1900 avant J.-C.*

*Modèle de barque du chancelier Nakhti, vers 2000-1800 avant J.-C.*

*Semailles et moisson, peinture sur limon
de la tombe d'Ounsou, vers 1100-1500 avant J.-C.*

## Embarquement immédiat pour l'au-delà

Cette petite barque a la taille d'un jouet. Elle ressemble comme deux gouttes d'eau à celles qui naviguent sur le Nil. Elle doit permettre à son propriétaire de continuer à se promener sur le fleuve après sa mort.

*Peigne au bouquetin, vers 1555-1080 avant J.-C.*

*Étui à kohol, singe au palmier, 1550-1295 avant J.-C.*

## Accessoires de beauté

Les artisans transforment de banals objets de toilette en véritables œuvres d'art. Un peigne en bois s'orne d'un bouquetin plus vrai que nature, un petit singe s'agrippe à un étui à kohol, une cuiller à fard en bois se transforme en sculpture délicate.

*Cuiller à fard à la jeune fille portant un vase, vers 1400-1360 avant J.-C.*

15

# L'écriture des dieux

Un œil, une corde nouée, une tête de lion, une main ouverte… Mais que signifient ces mystérieuses inscriptions qui tapissent l'intérieur et l'extérieur des monuments égyptiens ? Pendant plus de mille ans, elles ont gardé leur secret. C'est un Français, Jean-François Champollion, qui, le premier, en 1822, découvre la clé des hiéroglyphes, ces images et ces signes qui composent l'écriture égyptienne.

*Bague à chaton mobile au nom du roi Horemheb, 1323-1295 avant J.-C.*

## Un bijou pour signer

Cette bague en or appartient au pharaon Horemheb. Elle lui sert aussi de sceau pour signer ses lettres et ses déclarations.

## Drôle d'oiseau ▶

Thot est le dieu des scribes. Il est représenté sous les traits d'un babouin, d'un ibis ou d'un homme à tête d'ibis. C'est lui qui note les décisions des dieux.

*Le scribe accroupi, vers 2600-2350 avant J.-C.*

## Il écrit en tailleur

Assis en tailleur, ce scribe en calcaire peint est un personnage important, un intellectuel qui lit, écrit et réfléchit. Son ventre un peu rond est le signe de sa réussite sociale : il mange à sa faim tous les jours. Ses yeux en cristal de roche lui donnent l'air vivant.

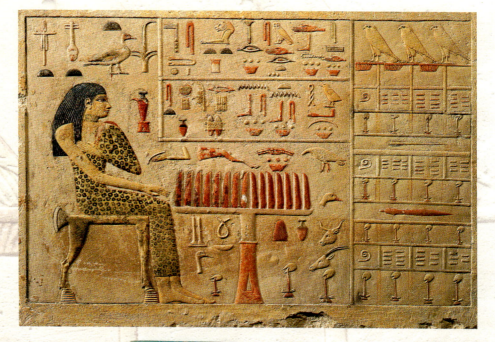

## Au nom du roi !

Lorsqu'une corde stylisée de forme ovale entoure un ensemble de hiéroglyphes, on sait qu'il s'agit du nom d'un roi. Cela s'appelle un cartouche. Voici celui du pharaon Séthi I<sup>er</sup>, le père de Ramsès II.

*Cartouche de Sethi I<sup>er</sup>, 1304-1290 avant J.-C.*

▲ *Stèle de Néfertiabet, Vers 2590 avant J.-C.*

## Des mots images

Il y a plus de sept cents hiéroglyphes. Certains illustrent ce qu'ils désignent (le dessin du canard signifie « canard ») : ce sont des idéogrammes. D'autres représentent un son, ce sont des phonogrammes.

*Le dieu Thot à tête d'Ibis tenant l'œil Oudjat, 664-332 avant J.-C.*

*Palette, godet, coupe-papyrus, 1550-1295 avant J.-C.*

## Tout pour travailler

Le mot papier vient de « papyrus », une plante aquatique soigneusement préparée et séchée sur laquelle écrivent les scribes.

17

# En route pour la vie éternelle

Pour continuer à vivre après la mort dans le royaume d'Osiris, il est recommandé d'avoir un corps bien conservé. Les Égyptiens embaument les morts, les entourent de centaines de mètres de bandelettes puis enferment la momie dans plusieurs sarcophages emboîtés. Le cher disparu est enterré avec ses bijoux, ses meubles, ses objets préférés et le « Livre des morts », un papyrus qui sert de mode d'emploi pour l'au-delà.

## Des momies pour les bêtes

Les hommes ne sont pas les seuls à être embaumés. Certains animaux familiers ou non ont droit, eux aussi, à leurs momies. Ils ont ainsi la garantie de traverser l'éternité sans problème de conservation.

## L'ancêtre de la bande dessinée

Le Livre des morts décrit avec précision tout ce qui est censé se passer après la mort. Un parcours semé d'embûches ! Le mort doit répondre de sa vie devant un tribunal et son cœur est pesé pour savoir s'il est digne de revivre auprès d'Osiris.

*Détail du Livre des morts*
*de Nebqued, papyrus peint,*
*vers 1400 avant J.-C.*

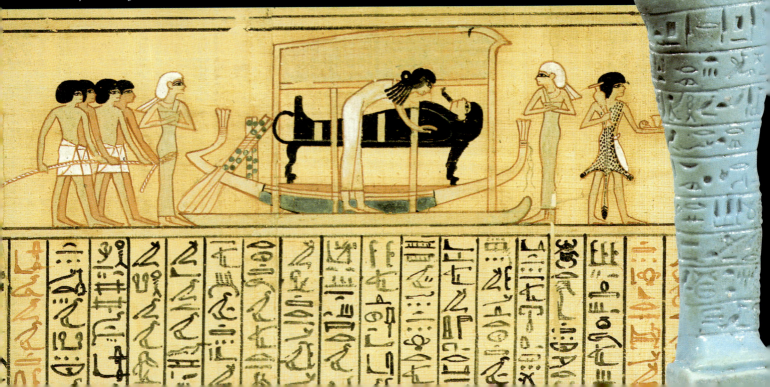

*Momies de crocodiles, 332-330 avant J.-C.*

## Poupées russes

Le sarcophage est un cercueil qui épouse la forme du corps. Il y en a souvent plusieurs qui s'emboîtent comme des poupées russes autour de la momie. Ils peuvent être en bois peint ou en or lorsqu'il s'agit d'un roi.

## Des serviteurs pour le mort

Ces petites statuettes sont appelées des oushebtis. Elles représentent les fidèles serviteurs qui continuent à assister le mort dans l'au-delà. Ici, elles sont en faïence bleue mais elles peuvent être également en terre, en bois, en pierre ou en bronze. Dans certaines tombes, on en a retrouvé plus d'une centaine.

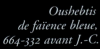

*Oushebtis de faïence bleue, 664-332 avant J.-C.*

*Sarcophage de Imeneminet, vers 1300 avant J.-C.*

# GRÈCE

## Qui sont les dieux de l'Olympe ?

Cap sur la Grèce antique, le pays des dieux ! Leurs statues nous racontent les rocambolesques histoires de la mythologie. Immortels, ces dieux ont pourtant un âge : trois mille ans. Ils vivent presque comme les humains, rient, se fâchent, aiment, sont susceptibles, astucieux, jaloux. Ils se rassemblent sur une des plus hautes montagnes du pays, le mont Olympe. Plus tard, les Romains adopteront les mêmes dieux mais en leur donnant d'autres noms.

*Le Jugement de Pâris, Antioche (Turquie), 115 après J.-C.*

### ZEUS JUPITER

Souverain des dieux. Siège sur le trône de l'Olympe. Commande à l'orage et à la pluie. Vie sentimentale agitée : tombe souvent amoureux de mortelles. Attribut : le foudre.

*Statuette de Zeus, époque romaine*

### HADÈS PLUTON

Autre frère de Zeus. Quitte rarement son monde souterrain des Enfers. Souvent représenté en train d'enlever Perséphone (Proserpine), sa future épouse. Attribut : la corne d'abondance.

*Athèna Pacifique, IIe siècle après J.-C.*

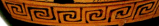

*Hadès et Perséphone, amphore à figures rouges, vers 479 avant J.-C.*

### ATHÈNA MINERVE

Déesse de la Sagesse et de la Raison, née du crâne de Zeus. Vient en aide aux combattants. Signes distinctifs : casque, lance et bouclier.

### HÉRA - JUNON

Femme de Zeus. Se dispute souvent avec son infidèle de mari. Très jalouse. Ne supporte pas que Pâris trouve Aphrodite plus belle qu'elle. Animal fétiche : le paon.

*Mosaïque : Triomphe de Neptune et Amphitrite, vers 315-325 après J.-C.*

*Cratère en céramique : Le Retour d'Héphaïstos, vers 525 avant J.-C.*

## HERMÈS MERCURE

Fils de Zeus. Messager des dieux en raison de sa vivacité et de sa débrouillardise. Signes distinctifs : bonnet et sandales ailés. ▶

## HÉPHAÏSTOS VULCAIN

Fils de Zeus. Si laid à la naissance que sa mère, Héra, le précipite du haut de l'Olympe. Reste boiteux après ce drame. Forgeron, fournisseur d'armes et d'outils de toutes sortes. Femme : la belle Aphrodite.

## POSÉIDON ▲ NEPTUNE

Frère de Zeus. Gouverne le monde marin. Femme : Amphitrite, nymphe. Attribut : le trident.

## APHRODITE VÉNUS

Très belle femme, née de l'écume de la mer. Déesse de l'Amour et de la Beauté. Sème la passion dans les cœurs en compagnie d'Éros, son fils, un bébé armé d'un arc et de flèches.

*Statuette d'Hermès, vers 450 avant J.-C.*

*Couple en Mars et Vénus, vers 150 avant J.-C.*

*Aphrodite de Cnide, vers 320 avant J.-C.*

*Diane de Versailles, vers 50 avant J.-C.*

Il en manque un... lequel ? Vous le saurez en tournant la page...

## ARÈS MARS

Fils de Zeus. Dieu de la Guerre. Très agressif sauf lorsqu'il est amoureux. A une liaison avec Aphrodite, sa belle-sœur. Signes distinctifs : casque et armes.

## ARTÉMIS DIANE

Fille de Zeus. Déesse de la Chasse. Signes distinctifs : diadème surmonté d'un croissant de lune, arc à la main, carquois sur l'épaule. Animal de compagnie : un cerf ou un chien.

*Tête de cavalier,*
*vers 559 avant J.-C.*

# Rendez-vous avec Apollon

Apollon est l'éternel jeune homme, le dieu de la Beauté, des Arts et de la Poésie. Fils de Zeus et de la mortelle Léto, il est le frère jumeau d'Artémis. En souvenir de la nymphe Daphné qu'il a chérie, il porte parfois une couronne de laurier. Il sert souvent de modèle pour les statues d'hommes nus.

*Apollon de Piombino, 1er siècle avant ou après J.-C.*

## Un bel inconnu

Qui est ce beau cavalier ? Apollon, Castor, Pollux ou un noble Athénien coiffé d'une couronne gagnée à un concours sportif ? Quoi qu'il en soit, il soigne bien sa barbe et sa chevelure formée de petites perles !

*Torse de couros, vers 579 avant J.-C.*

## L'homme de marbre

Ce jeune homme est un peu raide avec ses bras plaqués le long du corps, sa jambe gauche en avant. C'est pourtant ainsi que les sculpteurs de l'époque archaïque représentent l'homme à l'image d'un Apollon idéal.

## Champion de beauté

Cet Apollon d'une beauté parfaite est une petite statue en bronze. Les grandes statues, elles, ont pour la plupart disparu. Elles étaient en bronze, en bois plaqué d'or ou en ivoire. On les connaît grâce aux copies qu'en ont faites les Romains.

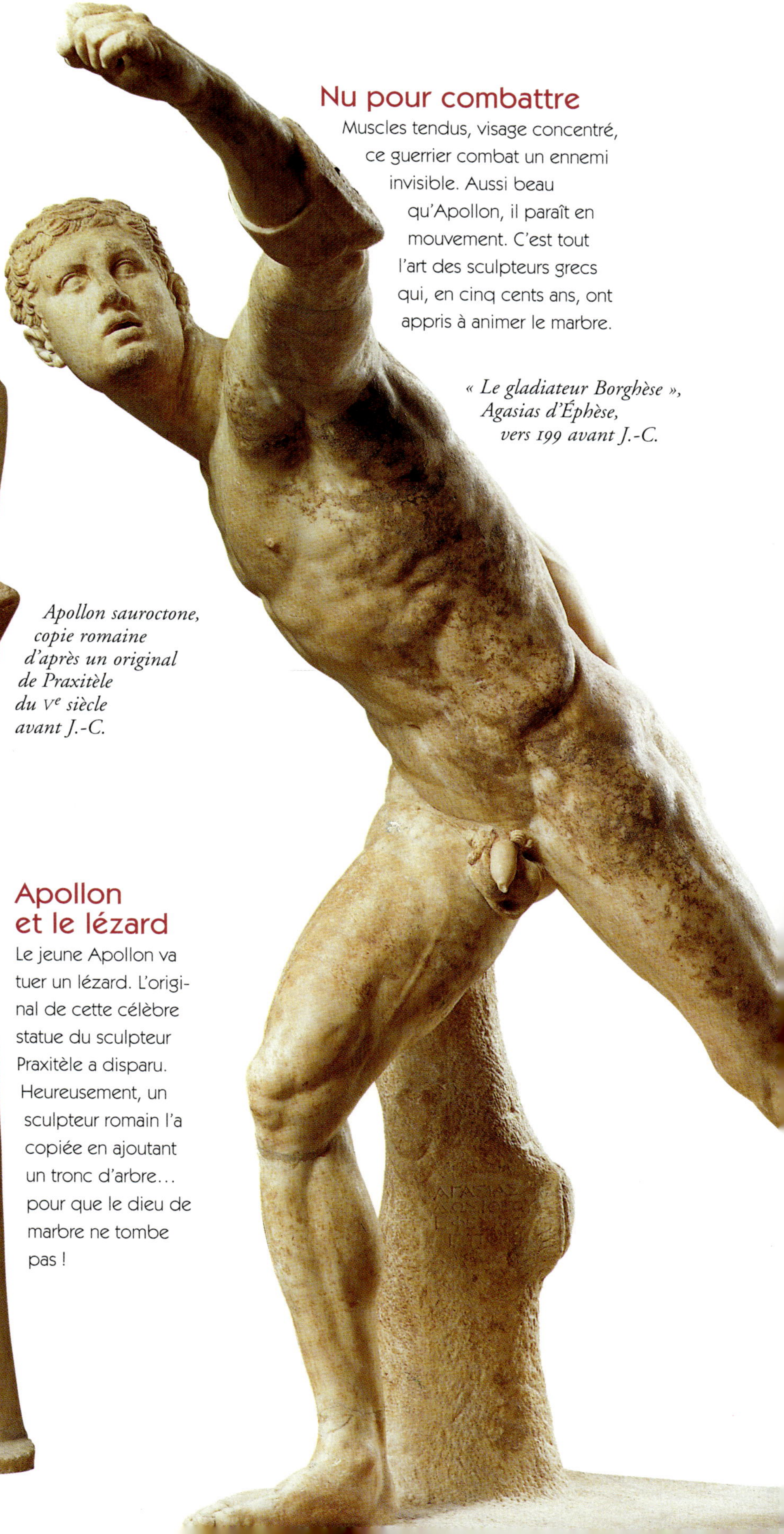

## Nu pour combattre

Muscles tendus, visage concentré, ce guerrier combat un ennemi invisible. Aussi beau qu'Apollon, il paraît en mouvement. C'est tout l'art des sculpteurs grecs qui, en cinq cents ans, ont appris à animer le marbre.

*« Le gladiateur Borghèse »,*
*Agasias d'Éphèse,*
*vers 199 avant J.-C.*

*Apollon sauroctone,*
*copie romaine*
*d'après un original*
*de Praxitèle*
*du Vᵉ siècle*
*avant J.-C.*

## Apollon et le lézard

Le jeune Apollon va tuer un lézard. L'original de cette célèbre statue du sculpteur Praxitèle a disparu. Heureusement, un sculpteur romain l'a copiée en ajoutant un tronc d'arbre… pour que le dieu de marbre ne tombe pas !

# Héraklès est le plus fort

Fils de Zeus et de la princesse Alcmène, Héraklès – Hercule pour les Romains – est le plus célèbre des héros grecs. Junon, la femme légitime de Jupiter, est terriblement jalouse de lui et lui inflige toutes sortes d'épreuves dont les plus célèbres sont les douze travaux. La fin d'Héraklès est triste : pour le punir de son infidélité, Déjanire, sa femme, lui donne une tunique empoisonnée qui lui brûle atrocement la peau. Pour ne plus souffrir, il demande à ses amis de le brûler sur un bûcher. Après sa mort, Zeus ordonne qu'il soit admis dans le monde des dieux.

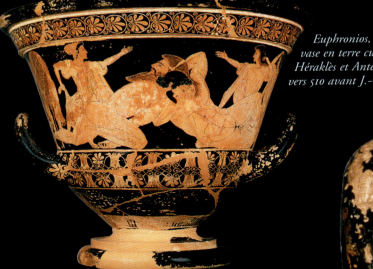

*Euphronios, vase en terre cuite : Héraklès et Antée, vers 510 avant J.-C.*

## Une lutte à mort

Antée est un épouvantable géant qui ne pense qu'à se battre. Il gagne à tous les coups car, tant qu'il touche terre, il est invincible. Seul Héraklès parvient à le soulever et à l'étrangler. Le peintre Euphronios a peint cette lutte intense en utilisant une toute nouvelle technique de peinture, celle dite de la « figure rouge » : le fond du vase est peint en noir mais les personnages restent rouge, couleur de la terre.

# Dieu, qu'elles sont belles !

Pour plaire à leurs dieux, les Grecs leur offrent de belles femmes. Ils aiment tailler des statues dans le marbre le plus pur. Le travail des sculpteurs est remarquable. Pour retrouver la douceur de la peau, ils polissent sans fin le marbre si dur. Ils drapent les vêtements en plis ordonnés et gracieux.

*Victoire de Samothrace, vers 199 avant J.-C.*

## Déesse de l'Amour

Voici Aphrodite – ou Vénus –, la déesse de l'amour. Tout dans son corps est élégance. Cette sculpture en mouvement caractérise l'époque « hellénistique » qui fait suite aux périodes « archaïque » et « classique ».

*Vénus de Milo, vers 199 avant J.-C.*

## Les ailes de la Victoire

Ailes déployées, tunique plaquée par les embruns, la Victoire de Samothrace célèbre de façon grandiose une victoire des habitants de l'île de Rhodes. À l'origine, elle surplombait la mer.

## La main sur le cœur

Visage souriant, coiffure à l'égyptienne, robe richement décorée, cette petite femme fait sa prière. En elle se mêlent des influences de la Grèce et de l'Orient. Elle a été retrouvée en Crète où les Grecs avaient fondé une colonie.

## Premier visage

Un large ovale, un petit cône, il n'en faut pas plus pour faire exister ce visage d'idole. Il semble moderne et pourtant il a 4 500 ans. Il appartenait à une statue d'une taille exceptionnelle pour l'époque : 1,50 mètres de haut !

*Tête des Cyclades,*
*2799-2399 avant J.-C.*

*Coré*
*de Samos,*
*vers 579-569*
*avant J.-C.*

## Beauté antique

Cette statue de jeune fille, offerte à la déesse Héra, est vêtue d'une longue robe plissée et d'un manteau de laine. Elle se tient dans une attitude rigide, typique de l'époque « archaïque », la plus ancienne période de l'art grec.

## Mise en plis

Ces jeunes filles en procession apportent à la déesse Athéna une tunique qu'elles ont tissée. Elles sont habillées de vêtements plissés comme savent les tailler les sculpteurs classiques du siècle de Périclès. Cette scène est un fragment du décor du Parthénon.

*Dame d'Auxerre,*
*vers 639 avant J.-C.*

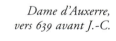

*Élément du décor sculpté*
*du Parthénon,*
*vers 440 avant J.-C.*

# Des jeux pour tous

Les loisirs tiennent une grande place dans la vie des Grecs. Les jouets des enfants, osselets, animaux sur roulettes ou poupées, sont encore les mêmes aujourd'hui. Les jeux des adultes, en revanche, étaient parfois bien cruels.

## Jeu de l'oie

Le petit garçon joue avec une oie qu'il a peut-être apprivoisée. Ils ont l'air vivants tous les deux. Les sculpteurs de cette époque aiment représenter les enfants.

*Enfant à l'oie, réplique romaine d'un original grec du IIIe siècle avant J.-C.*

*Pièces d'armures de gladiateurs, 1er siècle après J.-C. : casque, jambières*

## Jeu cruel

Les gladiateurs qui vont combattre à mains nues défilent dans l'arène vêtus de ces somptueuses armures. Le casque et les jambières sont ornés d'une tête de Gorgone dont le terrible regard doit transformer l'adversaire en pierre.

## Couchés à table

Lors des banquets, les riches Grecs sont allongés sur des lits. Ils ne se contentent pas de manger et de boire : ils philosophent, déclament des poèmes, chantent... bref, ils s'amusent à leur façon.

*Cratère corinthien à figures noires, vers 569 avant J.-C.*

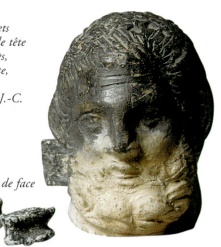

*Boîte à osselets
en forme de tête
d'Héraklès,
terre cuite,
vers 59
avant J.-C.*

*de dos*

*de face*

## Osselets cachés

C'est un des jeux favoris des enfants grecs. Ces minuscules osselets en os sont rangés dans un tiroir dissimulé à l'arrière de ce tout petit buste du héros Héraklès.

## Poupée articulée

Les bras et les jambes de la poupée sont articulés. C'est mieux pour jouer. Plus tard, la petite fille devenue jeune fille offrira sa poupée à une déesse.

## Buffle monté sur roulettes

Comme tous les enfants qui font leurs premiers pas, les petits Grecs aiment traîner un jouet à roulette derrière eux. On a retrouvé celui-ci dans une tombe.

*Buffle sur
roulettes,
époque
archaïque*

*Poupée
de Tarente,
IIIe siècle
avant J.-C.*

# ROME

## Étrusques et Romains

Continuons notre voyage autour de la Méditerranée et débarquons en Italie, chez les Étrusques. Bien avant les Romains, les artistes étrusques sculptent la pierre et modèlent la terre avec talent. À partir de la fondation de Rome, en 753 avant J.-C., la civilisation romaine prend de l'importance. Bientôt les Romains imposent leur art : ils réalisent surtout des portraits et des bas-reliefs.

*Autel de Domitius Ahenobarbus : scène de recensement , vers 100 avant J.-C.*

### Sacrifice

Mars, le dieu de la Guerre, reçoit en sacrifice un taureau, un bélier et un porc. Cette cérémonie se répète tous les quatre ans lors du recensement des citoyens pour l'armée.

*L'empereur Néron, 1er siècle après J.-C.*

*Auguste de Cerveteri, vers 50 après J.-C.*

*Portrait de Livie, vers 30 avant J.-C.*

### Auguste, empereur

Auguste a fait très souvent faire son portrait. Il l'envoie dans les provinces éloignées pour que l'on sache bien que c'est lui le chef suprême. Le souvenir de ce puissant empereur est si fort que l'on continue à sculpter ses portraits même après sa mort. Celui-ci en est un exemple.

### Livie, impératrice

Taillés dans une pierre dure, le basalte, les traits de l'impératrice Livie, l'épouse d'Auguste, sont figés comme dans du métal. Elle a l'air décidé, son visage est dur. La coque de cheveux sur le front et le petit chignon bas sont une coiffure à la mode au début de l'Empire romain.

## Enfer et damnation

Néron laisse de son règne le souvenir d'un empereur
fou aux goûts luxueux. Il serait responsable de
l'incendie de Rome. Après son assassinat en 68,
il est condamné à l'oubli. Ses portraits sont détruits.
Celui-ci a échappé à la destruction car il provient
de Cilicie, une province très éloignée de Rome.

*Sarcophage
des époux,
vers 520-510
avant J.-C.*

## Un couple étrusque

Cet homme et sa femme,
accoudés sur un lit, s'offrent
l'un à l'autre du vin et du par-
fum. Ils participent à un banquet,
selon la coutume de l'époque. Cette
prodigieuse sculpture, qui les représente grandeur nature, surmonte leur
cercueil. On ne peut en voir nulle
part ailleurs de si grand ni de si
beau.

# La vie à Rome

Quand les Romains ne font pas la guerre, ils aiment se distraire et décorer leur maison. Les jeux tiennent une grande place dans leur vie : courses de chars, combats de gladiateurs et de lutteurs, chasses d'animaux sauvages sont très appréciés. Les riches Romains font peindre des fresques sur les murs de leur maison et couvrir leurs sols de mosaïques.

## Boxe romaine

Les ancêtres des boxeurs, les lutteurs, se battent à mains nues. On appelle ce jeu le pancrace. C'est l'un des spectacles les plus appréciés des Romains. Le geste de ce petit personnage en bronze est saisi au moment où il donne un coup de pied.

*Gobelet aux squelettes de Boscoreale, fin du I$^{er}$ siècle avant J.-C.*

*Lutteur, I$^{er}$ siècle après J.-C.*

*Sarcophage de M. Cornelius Statius, milieu du II$^e$ siècle après J.-C.*

## Une vaisselle terrifiante

109 pièces de vaisselle de table en or et en argent ont été retrouvées dans une cachette où elles avaient été ensevelies par un propriétaire fuyant la lave mortelle du Vésuve. Ironie du sort, les squelettes qui ornent cette coupe préfigurent le destin tragique de leur malheureux propriétaire.

*Mosaïque : amours et dauphins,
milieu du IIIᵉ siècle après J.-C.*

## Amours et dauphins

Des amours joufflus montés sur des dauphins font la course sur une mer remplie de poissons. Cette scène ornait une fontaine dans une riche maison romaine en Afrique. La technique de la mosaïque, qui consiste à assembler de petits cubes de verre de couleurs, permet de réaliser de véritables tableaux de pierre qui imitent la peinture.

*Génie ailé,
vers 60-40 avant J.-C.*

### Le gardien a des ailes

Les maisons romaines étaient confortables et belles. Ensevelies sous les cendres crachées par le volcan, le Vésuve, en 79, les villes de Pompéi, Herculanum et Boscoreale ont conservé leurs trésors : ce génie ailé peint sur un mur gardait l'entrée d'une pièce chez Fanius Synistor.

## Comme un album de photos

Un petit garçon est mort. Ses parents ont choisi pour lui un cercueil de pierre décoré de sculptures qui racontent sa vie d'enfant, du sein de sa mère à l'école.

# Les premiers chrétiens

Au temps des Romains apparaît une religion nouvelle, le christianisme. Après la mort de Jésus-Christ, les apôtres s'en vont à travers le monde porter la bonne parole de l'Évangile. Saint Paul se rend en Grèce, saint Pierre à Rome. La religion chrétienne se diffuse dans tout l'Empire romain et en devient la religion officielle à la fin du IVe siècle.

*Le Christ et l'abbé Ména, VIIe siècle*

*Vierge de l'Annonciation, fin du Ve siècle*

## Un abbé en or

Les chrétiens d'Égypte, les coptes, construisent des monastères et les décorent. Pour celui de Baouit, ils ont réalisé ce panneau de bois peint où l'on voit le Christ et l'abbé Ména, supérieur du couvent. C'est l'une des premières icônes connues.

## L'annonce faite à Marie

Marie file la laine qui repose dans un panier d'osier. L'archange Gabriel – on ne voit plus que sa jambe –, s'avance pour lui annoncer qu'elle sera la mère de Jésus. Elle a l'air stupéfaite. Ce sont les chrétiens d'Égypte qui ont sculpté dans le bois du figuier cette délicate image.

## La victoire grâce à Dieu

Un empereur romain caracole sur un cheval tandis que des peuples vaincus viennent lui apporter le butin qui lui revient. Le Christ bénit cette scène guerrière ; par son geste, il donne à l'empereur un pouvoir divin.

*Ivoire Barberini, première moitié du VIe siècle*

## Les vignes du Seigneur ▶

Le sol de l'église de Kabr Hiram, au Liban, était recouvert de cette mosaïque. On y voit des scènes de chasse et de combat, des scènes champêtres : une fermière poursuivant un renard, un berger jouant de la flûte, un paysan conduisant un âne. Au centre, deux vendangeurs foulent le raisin dans un pressoir.

*Mosaïque de Kabr Hiram, milieu du VIe siècle*

# Avec Mahomet commence l'Islam

Alors que le christianisme se développe, le prophète Mahomet jette les bases d'une nouvelle religion, l'Islam. Après sa mort, en 632, ses disciples, les musulmans, recueillent sa parole dans le Coran et prennent les armes. En cent ans, ils conquièrent un immense territoire qui va de l'Espagne à l'Inde. Dans tous ces pays musulmans, d'habiles artisans décorent palais et mosquées de riches motifs et imaginent de beaux objets. Inutile de chercher des tableaux : il n'y en a pas dans le monde de l'Islam.

*Coupe au cavalier fauconnier, début du XIIIe siècle*

## Lions et perroquets en boîte

Cette petite boîte en ivoire appartenait à l'un des fils du calife Abd Alrahman II qui, d'Espagne, a régné sur un immense territoire. Elle a été minutieusement sculptée dans une défense d'éléphant. Gazelles, lions et perroquets animent le riche décor.

*Pyxide en ivoire au nom d'Al-Mughera, vers 968*

## Le prince au faucon

Ce jeune homme est un prince. Il part à la chasse au faucon sur son cheval hennissant. Les visages pleins comme des lunes, les yeux en amande et les bouches minuscules correspondent à la beauté idéale du XIIIe siècle en Orient.

## Un décor de paradis

◄ Un homme et une femme en tête à tête dans un jardin, un lion rugissant sur fond de soleil, des fleurs à profusion… Ces carreaux en forme d'étoiles ou de croix, parfois bordés d'une frise de fines inscriptions, sont les fragments d'un décor. Ils tapissaient les murs d'un tombeau iranien.

*Panneau de revêtement, 1267*

## Un lion parfumé

Pour parfumer une pièce on faisait brûler quelques gouttes d'essence précieuse dans ce lion en bronze ajouré.

*Lion brûle-parfum, XIe siècle*

# Le Moyen Âge

Le Moyen Âge est cette longue période de mille ans que l'on fait traditionnellement aller de la chute de l'Empire romain (476) à la découverte de l'Amérique par Christophe Colomb (1492).

## L'empereur Charlemagne

On ne peut dire avec certitude si ce cavalier aux moustaches imposantes est Charlemagne ou son petit-fils, Charles le Chauve, qui cultivait sa ressemblance avec son grand-père. La statuette est en bronze et mesure moins de 25 centimètres de haut. Elle est inspirée des statues équestres romaines.

*Statue équestre de Charlemagne, IXe siècle*

# Le trésor des rois de France

Le fabuleux trésor des rois de France date du Moyen Âge. Il s'est enrichi au fil des siècles. Avant d'être transporté au Louvre, il était conservé à l'abbaye de Saint-Denis. On y trouve les précieux instruments utilisés lors du sacre des rois : les régalia.

*Couronne de Charlemagne, 1804*

## Une épée de légende

La légende veut que cette épée, surnommée « Joyeuse », ait appartenu à Charlemagne, mais rien n'est moins sûr ! On s'en servait pour sacrer les rois de France.

*Épée du sacre, XIᵉ-XIIᵉ siècle*

## Sous haute protection

Charles V (1338-1380) a décoré son sceptre en or d'une petite statue de son ancêtre, Charlemagne.

*Sceptre de Charles V, XIVᵉ siècle*

## Justice soit faite !

Cette minuscule petite main en ivoire est l'image du pouvoir absolu du roi de France en matière de justice. Elle porte le précieux anneau de saint Denis en guise de bracelet.

*Main de Justice, début du XIIIᵉ siècle*

## Quand Napoléon se prend pour Charlemagne

C'est Napoléon Iᵉʳ qui, en 1804, fait réaliser cette couronne pour son sacre. Il l'a pompeusement baptisée *Couronne de Charlemagne*, mais seules les pierres sculptées, ou camées, pourraient avoir appartenu à son illustre prédécesseur.

*Patène de Charles le Chauve, vers 875-900*

## Poissons d'or

Des petits poissons d'or frétillent dans le fond vert sombre de cette coupelle en serpentine. Le tour est bordé d'émeraudes, de saphirs et de grenats. Le roi Charles II le Chauve (843-877) y faisait déposer l'hostie durant la messe.

# À la gloire de Dieu !

Au Moyen Âge, l'art est religieux. Au début du XIe siècle, les évêques lancent de nombreux chantiers. On demande à des artisans de sculpter la pierre pour décorer les églises de scènes de la Bible et de la vie de Jésus. Pour les gens de cette époque qui, pour la plupart, ne savent ni lire ni écrire, les églises deviennent de grands livres d'images sculptés. Cet art de la sculpture sur pierre, on l'a appelé l'art « roman ». On le reconnaît à ses motifs géométriques, ses personnages figés, ses créatures imaginaires.

## Un Christ géant

Le Christ en croix est l'un des sujets préférés des artistes. Celui-ci est en bois. Autrefois, il était entièrement peint en couleurs. Il a été sculpté au début du XIIe siècle en Bourgogne. Il faisait partie d'un groupe comprenant sans doute saint Jean et la Vierge Marie.

*Christ détaché de la croix, bois, vers 1125-1150*

*Chapiteau en marbre, fin du XIe siècle*

## Miracle dans la fosse aux lions

Jeté dans la fosse aux lions, le prophète Daniel a été miraculeusement épargné par les fauves. Sur ce chapiteau qui surmontait l'une des colonnes de l'église Sainte-Geneviève, à Paris, il a l'air songeur entre les deux monstres indifférents.

*Notre-Dame de Baroilles, pierre, début du XIIIe siècle*

## De belles couleurs pour la Vierge

Assise bien droite sur son trône, l'Enfant Jésus entre les genoux, Notre-Dame de Baroilles a gardé ses couleurs vives d'origine.

## Sous la dictée de l'ange ▶

L'apôtre Matthieu, ici représenté sous les traits d'un très jeune homme, est en train d'écrire l'Évangile sous la dictée d'un ange. Ce petit bas-relief a le charme et le naturel d'une scène de la vie quotidienne.

Aux environs de 1200, l'art religieux évolue. Il devient plus libre, plus élégant, plus élancé : c'est le style « gothique ». Les sculptures s'animent d'un léger mouvement, on recherche l'harmonie des formes. À Paris, la Sainte Chapelle et une partie de Notre-Dame, commencée sous le règne de Saint-Louis (1214-1270), illustrent cette nouvelle tendance.

## Le saint terrasse le diable

Le temps a privé saint Michel de sa lance mais son geste n'a rien perdu de sa vigueur : impassible, il va transpercer le démon terrassé à ses pieds. Le visage angélique et juvénile du saint contraste avec les traits tourmentés du diable.

*Saint Matthieu écrivant sous la dictée de l'ange, pierre, vers 1250*

*Saint Michel terrassant le démon, albâtre, vers 1425*

*La Vierge et l'Enfant de la Sainte Chapelle, ivoire, vers 1250-1260*

## Marie sourit

Cette statuette a été taillée au XIIIe siècle dans l'ivoire d'une grande défense d'éléphant. L'artiste s'est efforcé de reproduire le plus fidèlement possible l'élégance des plis de la robe et la finesse des traits du visage de la Vierge.

# Visages

À partir du milieu du XIVᵉ siècle, les personnages importants prennent l'habitude de commander leur portrait à des artistes. En grand ou en miniature, ils se font peindre tels qu'ils sont. Ce qui est nouveau, c'est qu'ils sont représentés seuls et non plus au sein d'une grande composition, agenouillés au côté de la Vierge et de l'Enfant Jésus.

## Jean II le Bon

Voici le premier portrait « indépendant » connu. Cet homme qu'on a représenté de profil, un sourire esquissé aux lèvres, sur fond doré, est le roi Jean II le Bon qui régna sur la France de 1350 à 1364. Le nom du peintre s'est perdu dans la nuit des temps.

*Jean II le Bon, peinture sur bois, avant 1350*

*Jean Fouquet, autoportrait, vers 1450*

## Jean Fouquet

Le peintre s'est représenté sur un médaillon d'émail ornant un tableau à deux volets appelé diptyque.

## ◀ Charles V et Jeanne de Bourbon

Charles V est le fils de Jean le Bon. Il règne de 1364 à 1380. C'est lui qui fait transformer la forteresse du Louvre en palais. Cette statue et celle de Jeanne, son épouse, en ornaient l'une des portes. Le sculpteur a fidèlement reproduit leurs traits.

*Statues de Charles V et de Jeanne de Bourbon, Fin du XIVᵉ siècle*

## Charles VII

Charles VII, que Jeanne d'Arc fait sacrer roi à Reims en 1429, a un physique ingrat. Pour le faire oublier, Jean Fouquet insiste sur son manteau de cour aux épaules rembourrées.

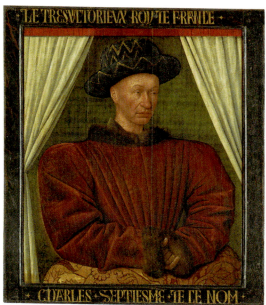

*Jean Fouquet, Portrait de Charles VII, vers 1445-1450*

*Jean Hey, Le Dauphin Charles-Orlant, 1494*

## Charles-Orlant

Ce petit garçon est le dauphin Charles-Orlant qui aurait dû être roi s'il n'était mort à l'âge de trois ans. C'est Anne de Bretagne, sa mère, qui commande ce portrait pour l'envoyer à Charles VIII, son père, parti à la guerre.

# Macabre !

À la fin du Moyen Âge, les tombeaux deviennent de véritables monuments. Le mort est représenté couché, à sa taille réelle, figé dans la pierre pour l'éternité. Certains personnages commandent, de leur vivant, des monuments plus imposants encore. Ici, Philippe Pot, le puissant sénéchal de Bourgogne, a imaginé cette mise en scène monumentale et macabre pour qu'on ne l'oublie pas.

## Une procession lugubre

Le visage dissimulé sous de lourds capuchons, huit hommes en deuil portent leur seigneur au tombeau. Ils sont en pierre peinte. Chacun d'eux tient un grand écusson représentant l'un des blasons de la famille de Philippe Pot. Ces huit blasons différents prouvent qu'il est noble depuis au moins huit générations.

*Tombeau de Philippe Pot,*
*dernier quart du XVᵉ siècle*

# Du nouveau en Italie

Tandis qu'en France on sculpte, en Italie, on peint. À la fin du XIIIe siècle, un peintre appelé Giotto invente une nouvelle façon de peindre. Il reproduit des paysages existants, fait exprimer des émotions aux visages de ses personnages. C'est la fin de l'art byzantin qui, durant plus de 1000 ans, a dominé le monde méditerranéen. On cesse de représenter des personnages impassibles et raides sur des fonds d'or.

### Des colonnes d'anges

Cimabue est le maître de Giotto. Il est encore très proche des peintres byzantins qui utilisent leur art pour célébrer la grandeur de Dieu. Sur ce grand tableau de plus de 4 mètres de haut, les anges sont empilés les uns au dessus des autres autour de la Vierge en majesté. Selon la tradition, le fond est doré.

*Cimabue,*
*La Vierge et l'Enfant en majesté,*
*entourés de six anges, vers 1270*

### Le modèle byzantin

Ce médaillon représentant saint Démétrios est un exemple d'icône byzantine. C'est un objet sacré devant lequel on prie.

*Saint Démétrios,*
*or et émail. Byzance,*
*début du XIIe siècle*

### Le saint qui parlait aux oiseaux

Cette scène représente saint François d'Assise parlant aux oiseaux. C'est le détail d'un grand tableau qui ornait l'autel d'une église à Pise. Giotto peint le saint dans une attitude familière et humaine.

*Giotto,*
*Saint François d'Assise.*
*Détail : le saint s'adresse*
*aux oiseaux, vers 1295-1300*

# La Renaissance

## L'extraordinaire bouillonnement italien

Plein feu sur l'Italie ! Au XVe siècle, on assiste à une véritable révolution. On l'a comparée à une seconde naissance, d'où son nom de « Renaissance ». Des peintres, des sculpteurs, des architectes redécouvrent l'Antiquité et développent des formes nouvelles. Ils essayent de représenter la profondeur et le volume, apprennent à jouer avec les ombres et les lumières, regardent l'homme et la nature d'un œil nouveau. Florence, cité des princes de Médicis, rayonne sur toute l'Italie et devient la capitale de l'art.

### Gabriel et Marie

L'archange Gabriel fait face à cette Vierge en bois, peinte de couleurs éclatantes. Attentive, Marie écoute l'envoyé de Dieu lui annoncer qu'elle donnera bientôt naissance au Messie.

*Domenico di Niccolo dei Chori, L'Archange Gabriel, Vierge de l'Annonciation, vers 1420-1430*

*Fra Angelico, Le Couronnement de la Vierge, vers 1430*

### Une couronne pour la Vierge

De son pinceau délicat, Fra Angelico, le moine fou de peinture, détaille une assemblée d'anges, de saints et d'hommes d'Église rassemblés autour du trône divin pour assister au couronnement de la Vierge Marie. Chaque visage est un véritable portrait.

## La princesse au long crâne

Découpé sur un fond parsemé de fleurs et de papillons, le profil de la jeune fille étonne. Les cheveux ramassés au sommet du crâne sous la coiffe en tissu ont probablement été épilés pour mettre en valeur un front immense, signe de noblesse et d'intelligence. La branche de genièvre piquée sur l'épaule de la jeune fille signifie paix et bonheur.

*Pisanello, Princesse d'Este, vers 1435*

## Portrait d'un tyran

Le pinceau de Pierro della Francesca a modelé en ombres et lumières le visage du tyran Sigismond Malatesta qui, en son temps, fit régner la terreur sur sa ville de Rimini. On a longtemps pensé que la jeune princesse – à gauche – était sa femme.

*Pierro della Francesca, Portrait de Malatesta, vers 1430*

## Un tableau en relief

Architecte et sculpteur de renom, Donatello a modelé cette Vierge en terre avant de la peindre et de la dorer. Résultat : un chef-d'œuvre moitié sculpture, moitié peinture. Le délicat visage de la Vierge est préoccupé comme si elle savait que son enfant était promis à un grand et tragique destin.

*Donatello, Vierge à l'enfant, vers 1440*

# Une nouvelle manière de peindre

Dans la première moitié du XV<sup>e</sup> siècle, alors que la France affaiblie sort tout juste de la Guerre de Cent Ans, des peintres européens s'interrogent sur leur art. L'Italien Paolo Uccello se passionne pour la perspective. Il cherche par tous les moyens à peindre en trois dimensions, s'obstine jusqu'à en perdre le sommeil ! Pendant ce temps-là, dans les Flandres, les frères Van Eyck inventent – ou redécouvrent – la peinture à l'huile. Auparavant, on se servait d'œuf pour coller les poudres de couleur entre elles. L'huile ayant la particularité de sécher moins vite que l'œuf, il devient possible de faire des retouches sans laisser de trace de pinceau.

*Paolo Uccello,*
*La Bataille de San Romano,*
*vers 1455*

## Des hommes, des chevaux et des lances

Sur ce grand panneau de plus de trois mètres de large, Uccello met en scène l'un des épisodes de la bataille de San Romano qui, en 1432, oppose les habitants de Florence à ceux de Sienne. Si l'on regarde le tableau de droite à gauche, on voit les pattes des chevaux s'animer comme s'ils galopaient, les lances se mettent en mouvement… tout prend vie ! Au second plan, une forêt de jambes suggère la profondeur.

## Le monde dans un tableau

L'homme agenouillé devant la Vierge Marie est Nicolas Rolin, un personnage important de la cour de Philippe le Bon, duc de Bourgogne. C'est lui qui a commandé ce petit tableau à Van Eyck. Le peintre décrit les personnages avec un réalisme étonnant. Il reproduit tous les détails avec minutie. Le paysage à l'arrière-plan est une véritable miniature à scruter avec attention.

*Jan Van Eyck,*
*La Vierge du*
*chancelier Rolin,*
*vers 1434*

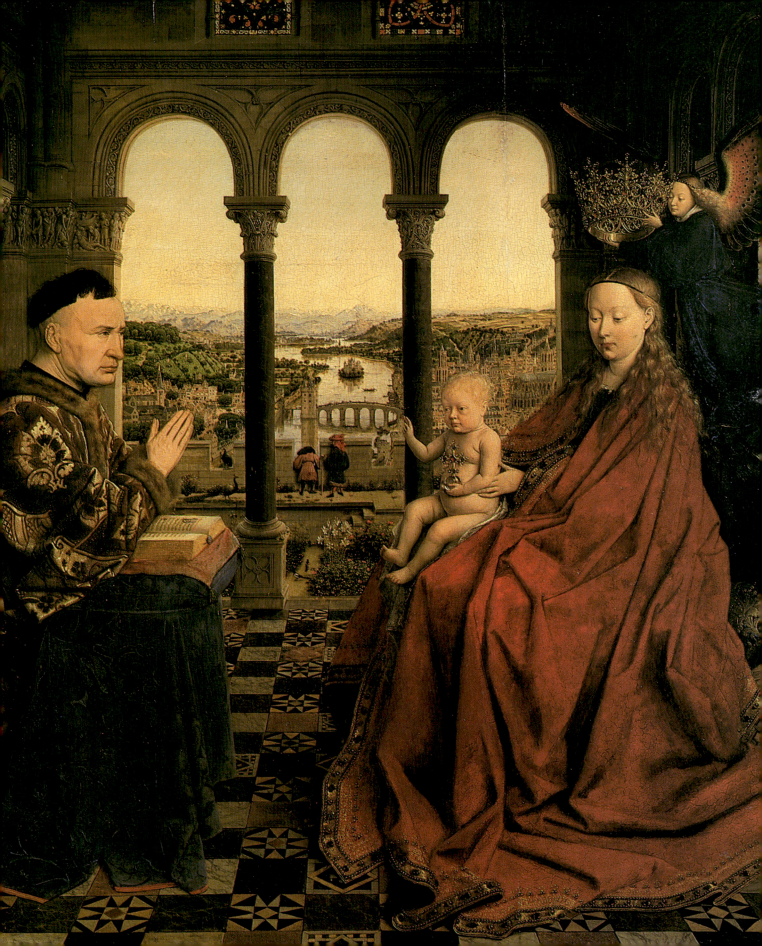

# Créatures du ciel et de la terre

Au XVe siècle, ce n'est plus uniquement l'Église qui commande les œuvres d'art. Les princes et les bourgeois font de même. Ces nouveaux mécènes permettent aux artistes d'explorer d'autres domaines que la peinture religieuse. Les peintres s'intéressent à l'homme dans toute sa diversité et redécouvrent la mythologie.

## Des larmes de sang

Giovanni Bellini est issu d'une illustre famille de peintres. Il représente le Christ comme un homme qui a beaucoup souffert, pâle et rempli de douceur tandis qu'il bénit l'humanité après la Résurrection.

*Giovanni Bellini, Christ bénissant, vers 1470*

## ◀ Nez à nez

L'homme n'est pas beau avec son nez étrangement boursouflé. Mais quelle douceur dans le regard qu'il pose sur l'enfant aux boucles blondes ! Est-ce un grand-père et son petit-fils, l'un à l'aube, l'autre au crépuscule de sa vie ?

*Ghirlandajo, Vieillard et jeune garçon, vers 1490*

## Des jeunes filles en fleurs

Le Florentin Botticelli n'a pas son pareil pour rendre la grâce des très jeunes filles. Peinte sur le mur d'une villa florentine, cette fresque représente une jeune fiancée recevant des présents des mains de Vénus, la déesse de la Beauté, ici accompagnée des trois Grâces.

*Botticelli, Vénus et les Grâces offrant des présents à une jeune fille, vers 1480*

# François Ier et les autres : portraits de famille

Au XVIᵉ siècle, sous le règne de François Iᵉʳ, c'est la mode de se faire représenter de façon réaliste, en buste, de trois quarts ou de face, sur fond neutre. Jean Clouet, peintre officiel du roi, son fils François ou encore Corneille de Lyon, un Hollandais installé en France, réalisent de minutieux tableaux où les visages et les détails des costumes sont reproduits avec fidélité. Les successeurs de François Iᵉʳ continueront à commander leur portrait.

*Jean Clouet, Portrait de François Iᵉʳ, vers 1530*

## Henri II

Fils de François Iᵉʳ, il épouse la grande Catherine de Médicis et règne 23 ans sur la France.

*Atelier de François Clouet, Henri II, roi de 1547 à 1559*

## François Iᵉʳ

Un imperceptible sourire aux lèvres, François Iᵉʳ, le séducteur, l'ami des arts et des lettres, se fait peindre dans un splendide habit à la mode italienne.

*Anonyme, Catherine de Médicis, reine de 1547 à 1589*

## Catherine de Médicis

Pendant 35 ans, jusqu'à sa mort en 1589, elle règne dans l'ombre sur une France désorganisée. Trois de ses fils porteront la couronne mais c'est d'elle que Henri IV dira : « C'était un grand roi ! ».

## Un seigneur
*Atelier de Corneille de Lyon,*
*Jean d'Albon,*
*seigneur de Saint-André,*
*vers 1550*

## Un jeune homme
*Corneille de Lyon,*
*Jeune Homme*

## Clément Marot,
*Corneille de Lyon,*
*Clément Marot, vers 1530.*
C'est le poète
préféré de François Ier.

## Charles IX

Fils de Henri II, il est tristement célèbre
pour avoir ordonné le massacre de la
Saint-Barthélémy où, le 24 août 1572, des
milliers de protestants trouvèrent la mort.
Il meurt peu après, à l'âge de 24 ans.

*Atelier de François Clouet,*
*Charles IX, roi de 1560 à 1574*

## Élisabeth d'Autriche

Autrichienne, épouse du jeune roi Charles IX,
elle est veuve à 20 ans et quitte alors la France
pour retourner dans son pays.

*François Clouet,*
*Élisabeth d'Autriche,*
*reine de 1560 à 1592*

## Une dame de la cour
*Atelier de François Clouet,*
*Claude de Beaune de Semblançay,*
*dame de Chateaubrun,*
*vers 1520*

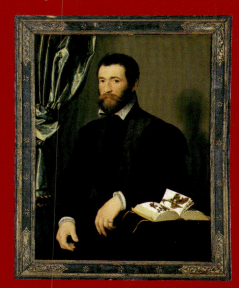

## Le pharmacien

Sérieux et raide dans son costume
sombre, le pharmacien Pierre Quthe
se fait immortaliser devant son herbier.

*François Clouet,*
*Pierre Quthe, apothicaire,*
*1562*

# Quatre génies d'Italie

Raphaël, Titien, Michel-Ange, Léonard de Vinci…. quatre génies ! Le XVIᵉ siècle commence bien en Italie. Avec eux, l'art de la Renaissance atteint des sommets. Harmonie, équilibre, perfection… leurs compositions ont la simplicité des chefs-d'œuvre. Grand amateur de peinture italienne, François Iᵉʳ fait venir Léonard de Vinci à sa cour en 1516 et commence une prestigieuse collection de tableaux et sculptures de maîtres italiens.

*Raphaël, Portrait de Balthazar Castiglione, vers 1514-1515*

*Titien, Concert champêtre, vers 1550*

## Le sage Balthazar

Balthazar Castiglione, qui est à la fois diplomate et écrivain, est un ami de Raphaël. Au-delà de la ressemblance, le peintre a su saisir le caractère de l'homme, mesuré et humain. Le regard clair, l'harmonie des noirs, des gris et des beiges, tout traduit sa calme assurance.

## Les belles et les musiciens

Titien a une vingtaine d'années lorsqu'il peint ce tableau champêtre. Pourquoi ces deux femmes sont-elles nues ? Sont-elles des muses ? Dans la belle lumière dorée d'un soir d'été, la scène dégage une impression de paix et de sérénité.

## Surgi du marbre

Cet esclave de plus de 2 mètres de haut devait à l'origine figurer sur le tombeau du pape Jules II avec d'autres figures. Mais Michel-Ange a finalement modifié son projet et la statue est restée inachevée.

*Michel-Ange,
Esclave mourant,
marbre, 1513-1515*

*Léonard de Vinci,
La Joconde, 1501-1506.*

## Le sourire de Monna Lisa

Ce tableau est devenu l'emblème du musée du Louvre. Léonard de Vinci, lui-même, était très attaché à ce portrait dont il ne se sépara jamais. On raconte que cette jeune femme venait de perdre sa petite fille. Pour la dérider, le peintre fit venir des saltimbanques. D'où ce sourire un peu triste.

# Immense
# ou minuscule

L'un – 10 mètres sur 6 – a la surface
d'un appartement de trois pièces.
C'est le plus grand tableau du Louvre.
L'autre ne mesure pas plus de
21 centimètres sur 18 : c'est l'un
des plus petits. Tous deux sont peints
à la même époque, dans la seconde
moitié du XVIᵉ siècle. L'un au sud
de l'Europe, l'autre au nord, par
deux peintres qui ne se connaissent
sans doute pas : Paolo Véronèse,
le flamboyant Vénitien, spécialiste
des grands décors, et Pieter Bruegel,
le Flamand à l'œuvre touffue
et mystérieuse. Luxe et misère,
deux extrêmes !

## 5 mendiants éclopés

*Pieter Bruegel,*
*Les Mendiants,*
*1568*

Bruegel représente quelques éclopés
comme on peut en voir sur le parvis
des églises à une époque où les
chirurgiens amputent à la moindre
blessure. Bruegel a-t-il voulu tourner
en dérision les quatre classes de
la société figurées par le roi, l'évêque,
le soldat et le paysan, reconnaissables
à leurs couvre-chefs ?

## 130 invités à la noce

Pour orner le mur du réfectoire de leur couvent vénitien, les moines de Saint-
Georges Majeur commandent à Véronèse un épisode de la vie de Jésus. Il s'agit

des Noces de Cana, le fameux repas au cours duquel il réalisa son premier miracle en changeant l'eau en vin. Dans cet immense tableau, la scène de l'Évangile est traitée avec le faste d'un banquet vénitien.

*Véronèse,*
*Les Noces de Cana,*
*1562-1563*

# Plein nord

C'est ainsi : on ne peint pas au Nord comme on peint au Sud ! Les peintres du Nord ont le goût de l'anecdote, ils aiment représenter des scènes familières en multipliant les détails réalistes. Eux aussi, comme en Italie, connaissent une Renaissance, mais plus tardive. Elle a lieu au début du XVIe siècle au moment où la crise religieuse qui donne naissance au protestantisme bat son plein. Les images religieuses étant devenues suspectes, l'homme devient le principal centre d'intérêt.

## Portrait piquant

Cet autoportrait d'Albrecht Dürer est probablement destiné à sa fiancée. Le chardon qu'il tient à la main est la marque de la fidélité. Dürer est le premier peintre à réaliser des portraits qui expriment des sentiments et soulignent des traits de caractère.

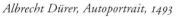

*Albrecht Dürer, Autoportrait, 1493*

## Une histoire de fous

Quelques buveurs, un bouffon, une religieuse et un moine embarquent pour le pays de la Folie. Comme il en a le secret, Jérôme Bosch joue sur les croyances et les peurs populaires et mêle fantastique et réalisme. Ce petit tableau – il mesure 58 centimètres sur 22 – est la seule œuvre du peintre conservée au Louvre.

*Jérôme Bosch,*
*La Nef des fous, vers 1500*

## Nue sous ses cheveux

Avec ses seuls cheveux pour habits, Marie-Madeleine, la sainte Pécheresse, a souvent été représentée par les artistes de tous temps. S'inspirant sans doute d'une gravure de Dürer, Gregor Erhart la sculpte grandeur nature dans du bois de tilleul.

*de face*

*Gregor Erhart,
Sainte Marie
Madeleine enlevée
au Ciel, vers 1510*

*Lucas Cranach,
Magdalena
Luther,
vers 1520*

## Son père est célèbre

Cette petite fille pâle aux longs cheveux blonds est probablement Magdalena Luther, la fille de Martin Luther qui est un des fondateurs du protestantisme. Peintre renommé en Allemagne, Lucas Cranach est un élève de Dürer.

## À quoi pense-t-elle ?

Le portrait de cette femme est délicat, les couleurs sont douces et raffinées. Son auteur, Hans Memling, est le plus grand peintre de Bruges.

*Hans Memling,
Portrait
d'une femme âgée,
vers 1480*

*Quentin
Metsys,
Le Changeur
et sa femme,
vers 1514*

## L'heure des comptes

Anvers est une ville commerçante qui compte de nombreux banquiers. Ce couple est à l'image de sa ville : prospère. Les détails sont étonnants pour un si petit tableau. Quentin Metsys a peint avec minutie les pièces d'or et les perles, le livre enluminé, la balance et le miroir.

*de dos*

# Henri IV, le roi de la paix

À la fin du XVIᵉ siècle, les guerres de religion entre catholiques et protestants ensanglantent la France. En montant sur le trône en 1589, Henri IV apaise les esprits car lui-même est un protestant converti au catholicisme. Avec l'aide de son fidèle ministre Sully, il rétablit la prospérité du pays. Il donne à Paris l'aspect d'une ville moderne et encourage la création artistique en faisant venir des artistes des pays protestants du Nord et d'Italie. Il meurt en 1610, assassiné par Ravaillac.

*Pierre Biard,*
*La Renommée, 1597.*

## Sonnez trompette !

La femme qui sonne de la trompette annonce à qui veut l'entendre la renommée du roi. Tout est mouvement dans ce corps gracieux et élancé. Cette statue est parfaitement dans le goût « maniériste », alors en vogue en Italie et en France.

## Les belles de la Renaissance

La belle amie d'Henri IV, Gabrielle d'Estrées, lui a donné un fils. Sa maternité est évoquée par le geste de sa sœur qui lui pince le sein, et son union cachée avec le roi par l'anneau qu'elle tient dans sa main gauche. Les corps des deux femmes sont lisses et blancs, les poses et les gestes sont précieux.

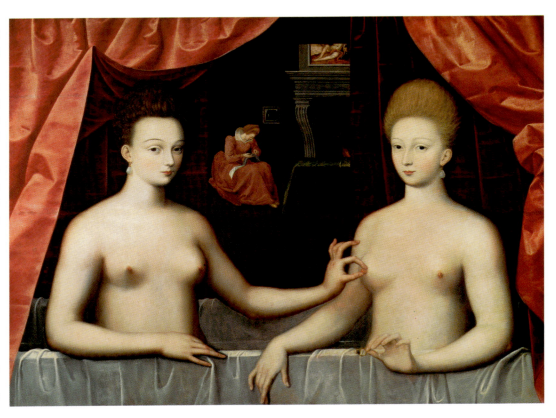

*Anonyme,*
*Gabrielle d'Estrées*
*et une de ses sœurs,*
*vers 1594*

## Le roi est nu

Les dieux de l'Antiquité étant d'excellents modèles, le roi et la reine choisissent de se faire représenter en Jupiter et Junon, nus ou presque. Il fallait oser ! Prieur, le plus grand sculpteur du règne d'Henri IV, amasse une fortune en vendant à travers le royaume les bustes du couple royal.

*Barthélémy Prieur,*
*Henri IV en Jupiter et*
*Marie de Médicis en*
*Junon, 1600-1610.*

## Massacre d'hier ou d'aujourd'hui

Le peintre Caron veut représenter les massacres des protestants qui ont eu lieu avant l'arrivée de Henri IV au pouvoir. Pour y parvenir sans en avoir l'air, il prend comme prétexte une scène de l'Antiquité : les massacres ordonnés au Ier siècle avant J.-C. à Rome par Antoine, Octave et Lépide.

*Antoine Caron,*
*Massacres du Triumvirat, 1566*

# Le XVII<sup>e</sup> siècle triomphant

## Sous Louis XIII, place à l'invention !

En 1610, à la mort de son père, Henri IV, Louis XIII n'a que neuf ans. Plus tard, aidé de Richelieu, il rétablit la situation de la France. Paris devient la capitale des arts, une ville moderne où les artistes s'épanouissent.

### Le Roi

C'est Richelieu, son puissant premier ministre, qui a commandé ce portrait de Louis XIII pour décorer la « galerie des hommes illustres » de son palais. Et, bien sûr, il l'a fait réaliser par Philippe de Champaigne, le plus grand portraitiste de son temps.

*Philippe de Champaigne, détail de Louis XIII couronné par la Victoire, 1635*

*Georges de La Tour, Le Tricheur à l'as de carreau, vers 1630*

## Les sens cachés

Les peintres protestants ont mis au goût du jour la nature morte car ils refusaient de représenter des scènes religieuses ou légères. Les objets ici sont associés à chacun des cinq sens : le luth et l'ouïe, les fleurs et l'odorat, l'échiquier et le toucher, le miroir et la vue, le pain et le goût.

*Lubin Baugin (vers 1612-1663),*
*Nature morte à l'échiquier*

## L'arnaque

Un jeune homme, bien naïf, va sans doute perdre les pièces d'or qui sont posées devant lui : un tricheur, l'air sournois, a sorti de sa ceinture l'as de carreau qui le fera gagner. Jeu de mains, de regards, richesse des coloris… La Tour nous offre l'un des plus merveilleux tours de passe-passe qui soient.

## Loin des rois, les paysans

Représenter des paysans dans leur intérieur, voilà qui est nouveau. Ni rois, ni riches, mais simples acteurs de leur propre vie, ils ont souvent servi de modèles aux frères Le Nain. Les couleurs évoquent la terre lorraine où ils travaillent.

*Louis ou Antoine Le Nain,*
*Famille de paysans*
*dans un intérieur, 1642*

# Trop !

En ce début du XVIIᵉ siècle, rien n'est tranquille, tout est excessif. Les artistes s'en donnent à cœur joie, laissant déborder leur prodigieuse imagination. Pleins d'ardeur et de fougue, ils brossent leurs tableaux à grands coups de pinceaux, faisant voltiger les nuages, virevolter leurs personnages, s'entrechoquer les couleurs, l'ombre et la lumière. Un peintre italien, Caravage, se fait remarquer par son originalité. Son style est si extraordinaire qu'on lui donne son nom : le caravagisme. D'autres grands artistes s'épanouissent dans des formes libres et pleines de fantaisie. On les appelle les « baroques », car « barocco », en italien, désigne une perle irrégulière.

## Mariage à la flamande ▶

À la mort de son mari, le roi Henri IV, Marie de Médicis devient régente. Elle demande à Rubens, le plus grand peintre flamand, de raconter sa vie en 24 immenses tableaux. Dans cette scène, Marie est présentée en portrait à son fiancé. Jupiter et Junon veillent, attendris, sur le couple. Étoffes et nuages tourbillonnants, agitation des personnages : on est au cœur de l'art baroque.

*Pierre Paul Rubens,*
*Henri IV reçoit le portrait*
*de Marie de Médicis, 1622-1625*

## Mort à la romaine

Caravage est un peintre italien révolutionnaire : personne n'aurait osé représenter la Vierge Marie, morte, sous l'apparence d'une simple femme, le ventre et les pieds gonflés. Son modèle est une noyée, repêchée dans le Tibre. De nombreux artistes suivront son exemple, surtout dans sa façon d'opposer dans un fort contraste l'ombre à la lumière.

*Caravage,*
*La Mort de la Vierge,*
*vers 1605-1606*

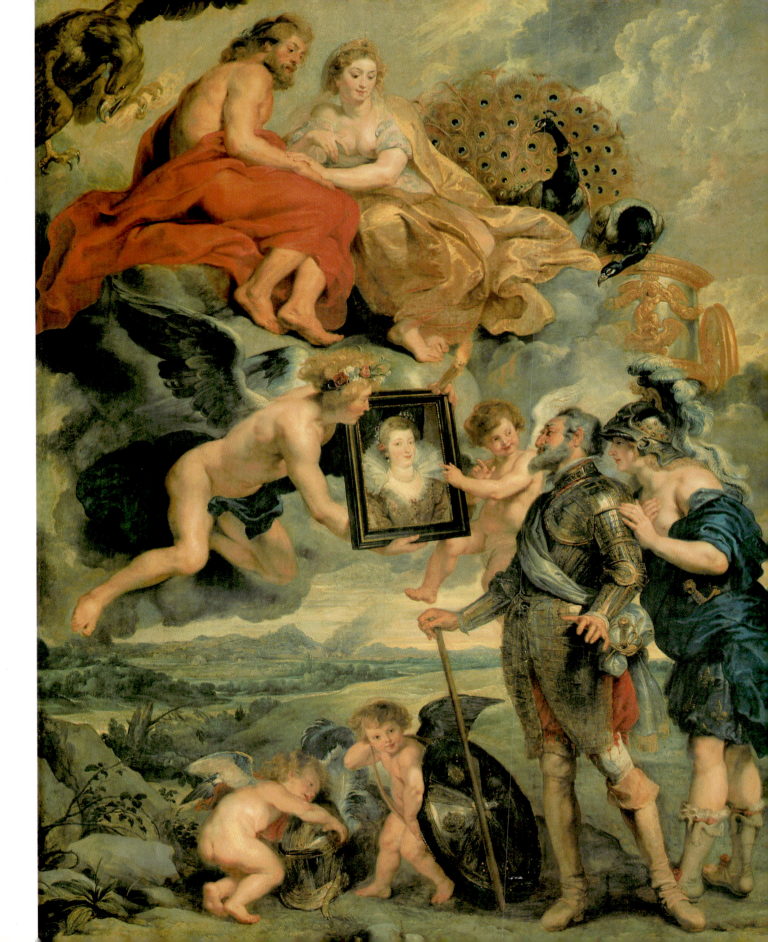

# De Rome à Londres, les peintres voyagent

C'est une tradition pour les artistes que de compléter leur formation par un séjour à l'étranger. Ils choisissent aussi parfois de s'y établir. À la Renaissance, des Italiens s'installèrent en France ; au XVIIe siècle, c'est au tour des Français d'aller travailler en Italie. Les artistes de Flandre ou de Hollande, eux, sont plutôt attirés par l'Angleterre.

## Un Français à Rome

Ce tableau a été peint par le grand Nicolas Poussin. Il est parti étudier à Rome et s'y est tant plu qu'il s'y est installé. Ici, il représente une scène de la Bible, le Jugement de Salomon. Deux femmes se disputent un enfant. Sous prétexte d'être juste, Salomon ordonne d'en donner une moitié à chacune. L'une accepte, l'autre refuse ce jugement atroce : c'est la vraie mère. Salomon lui rend l'enfant.

*Nicolas Poussin,*
*Le Jugement de Salomon, 1649*

## Un maître italien très copié

De nombreux artistes étrangers viennent à Bologne voir le peintre italien Guido Reni. Ils copient ses compositions mouvementées, s'inspirent de ses couleurs éclatantes. Ici, Reni a représenté une scène de la mythologie : l'enlèvement de la belle Hélène par le berger Pâris.

*Guido Reni,*
*L'Enlèvement d'Hélène, 1626-1629*

## Un Hollandais à Londres

Voici le roi d'Angleterre, beau-frère de Louis XIII, prêt à partir pour la chasse. Son peintre favori est hollandais. Il s'appelle Van Dyck. Il l'a représenté dans cette attitude familière, sans couronne, sans faste.

*Anton Van Dyck,*
*Portrait de Charles Ier d'Angleterre, 1635*

## Un Français amoureux de l'Italie

Le jaune, flamboyant, évoque l'or et la femme qui en est revêtue, la richesse. À l'exemple de Poussin, Simon Vouet serait bien resté à Rome, mais Louis XIII le fait revenir à Paris.

*Simon Vouet,*
*Allégorie de la richesse, vers 1640*

# Le Roi Soleil

Qui est le plus grand, le plus magnifique, le plus victorieux roi de France ? Louis XIV, bien sûr ! Les châteaux, les monuments, les sculptures et les tableaux qu'il a fait faire durant son règne sont innombrables. Il a été roi très longtemps, pendant 72 ans, de 5 à 77 ans, et maître de tout, y compris des arts. Aucun souverain avant lui ne s'était autant attaché à se faire de la publicité.

## Il se prend pour Alexandre le Grand

Charles Le Brun est le plus grand artiste du règne de Louis XIV. En montrant les victoires d'Alexandre, le roi qui n'a jamais connu de défaite, il cherche à glorifier Louis XIV, lui aussi toujours victorieux.

## Costumé en empereur romain

Vêtu comme un empereur romain, mais avec une perruque bouclée, Louis XIV s'avance avec majesté. Cette statue équestre de Girardon est le modèle réduit d'une grande statue aujourd'hui disparue.

*François Girardon,*
*Louis XIV, 1692*

*Charles Le Brun,*
*L'Entrée d'Alexandre*
*dans Babylone, 1660-1665*

## C'est moi le Roi ! ▶

Rigaud représente le roi avec tous les attributs de la royauté : manteau d'hermine, sceptre, couronne. Âgé de 63 ans, il se montre dans toute sa magnificence. Il voulait envoyer ce portrait à son petit-fils, roi d'Espagne, mais il le trouve si beau que finalement il le garde.

*Hyacinthe Rigaud*
*Portrait de Louis XIV, 1701*

# Le Grand Siècle d'un grand roi

L'époque de Louis XIV s'appelle le Grand Siècle, parce que son règne est particulièrement long et rayonnant. Louis XIV veut être certain que toute la création artistique serve sa royale personne. Il confie à Colbert le soin de passer les commandes royales et au peintre Le Brun la tâche d'encadrer les artistes. Il fait agrandir, construire et décorer son palais de Versailles et aménager de petits châteaux, comme Marly, où il peut se reposer loin du faste de la cour.

## Dévoré vivant

« Le pauvre homme, comme il souffre » s'exclame la reine Marie-Thérèse, épouse de Louis XIV, en découvrant cette statue. Le vieil athlète Milon a la main prisonnière d'un tronc d'arbre qu'il voulait fendre. Immobilisé, il est dévoré par un fauve.
Pierre Puget, le sculpteur, travaille seul, à Marseille, loin de la cour. Malgré cela, Louis XIV aime beaucoup ses œuvres.

## Un ministre flamboyant

Quand on est deuxième personnage du royaume, on choisit un bon peintre, Le Brun, et une attitude pleine de majesté pour son portrait. Le chancelier Séguier s'est fait représenter, juché sur un splendide cheval, vêtu d'habits somptueux et entouré de valets affairés qui l'escortent et le protègent avec ces drôles de petites ombrelles.

*Charles Le Brun,*
*Le Chancelier Séguier,*
*vers 1657-1661*

*Pierre Puget,*
*Milon de Crotone,*
*1670-1683*

# Rien n'est trop beau pour le roi

Les palais du roi sont somptueusement meublés. Laiton, étain et corne, bois de couleurs sur fond d'écaille composent deux magnifiques bouquets sur cette armoire que l'ébéniste Boulle a réalisée pour Louis XIV.

*André-Charles Boulle, Armoire, vers 1700*

# Les jardins du roi

Louis XIV aime particulièrement les jardins. Il fait dessiner ceux de Versailles par un grand jardinier, Le Nôtre. Celui-ci imagine de belles perspectives et commande de nombreuses statues pour animer les parterres, les bassins ou les bosquets. Le résultat satisfait tellement le roi qu'il rédige lui même un petit guide qui s'intitule tout simplement : « Manière de montrer les jardins ».

*Guillaume Coustou,*
*Cheval retenu*
*par un palefrenier,*
*1739-1745*

## Des chevaux glorieux

Marly est un petit château situé près de Versailles.
Louis XIV aime s'y délasser. Il en fait décorer les jardins
de nombreuses sculptures. Une paire de chevaux orne
l'abreuvoir : sur l'un est juchée la renommée du roi,
qui souffle dans sa trompette, sur l'autre le messager
des dieux, Mercure. Louis XV se plaît aussi à Marly.
Il remplace les statues commandées par son
arrière-grand-père par deux superbes chevaux
cabrés retenus par des hommes vigoureux. Toutes
ces statues se trouvent maintenant au Louvre où elles
sont protégées de la pollution.

*Antoine Coysevox,*
*Mercure monté*
*sur Pégase,*
*1698-1702*

# Le Siècle d'Or

Pendant que les Français vivent leur Grand Siècle, les Espagnols, les Flamands et les Hollandais ne sont pas en reste avec leur Siècle d'Or. Longtemps restés dans l'ombre de la France et de l'Italie, ils prennent leur revanche. De très grands artistes comme Rembrandt, Vélasquez ou Vermeer peignent des chefs-d'œuvre. Des minutieuses scènes d'intérieur flamandes aux grands portraits de cour espagnols, c'est la diversité qui règne.

## Le mendiant

Ce jeune mendiant est sans doute en train de chercher ses poux. Murillo a peint de nombreux portraits de gamins des rues.

*Bartolomé Esteban Murillo, Le Jeune Mendiant, vers 1650*

## Aie !

Pas de doute, les dentistes, au XVIIe siècle, arrachent les dents sans anesthésie ! Les poings crispés du bonhomme disent son intolérable souffrance. Le Hollandais Gérard Dou est particulièrement doué pour peindre des scènes de la vie quotidienne.

*Gérard Dou, L'Arracheur de dents, 1647*

## La fiancée espagnole

Pour que l'Espagne et la France fassent la paix, il faut que le jeune roi Louis XIV épouse une princesse espagnole. C'est chose faite en 1661. La jeune fille s'appelle Marie-Thérèse. C'est Vélazquez, le plus grand peintre espagnol de l'époque, qui exécute son portrait.

*Johannes Vermeer, La Dentellière, vers 1665-1670*

*Atelier de Diego Vélazquez, L'Infante Marie-Thérèse, vers 1661*

## Dans le silence des brumes du Nord

Dans l'atmosphère feutrée de sa chambre, une jeune femme est penchée sur son délicat travail de dentelle. On n'entend pas une mouche voler. La douce lumière unifie les coloris légers. C'est tout le mystère du peintre hollandais Vermeer qui le rend si attachant.

# Le XVIIIᵉ siècle contrasté

*Edme Bouchardon,
L'Amour se faisant
un arc dans
la massue d'Hercule,
1750*

## Polissons

Au XVIIIᵉ siècle, un vent de légèreté souffle
sur la peinture. Watteau, Fragonard, Boucher
entreprennent de décrire un certain art de vivre
à la française, fait de réjouissances, galanteries
et polissonneries. Que la fête commence !

### La déesse nue

La mythologie ici n'est qu'un prétexte pour
représenter deux jeunes filles nues dans la
nature. Mais les apparences sont sauves : un arc,
des flèches et un honnête tableau de chasse
sont là pour indiquer que la jeune femme assise
est bien Diane, la déesse de la Chasse.

*François Boucher,
Diane sortant du bain, 1742*

### Amour, amour…

Pour cette commande du roi,
Bouchardon multiplie les croquis
préparatoires. Il fait même mouler les
bras et les jambes de son modèle afin
que son petit dieu de l'Amour soit
proche de la réalité. Mais c'est précisément ce qu'on lui reproche : cet Amour-
là n'est pas assez rond et potelé !

*Jean-Honoré Fragonard,*
*Le Verrou, 1776-1779*

## Dans la chambre…

Le fougueux jeune homme va
pousser le verrou. La jeune fille
s'interpose tendrement et son
« non » ressemble fort à un
« oui » murmuré. Sur la table,
une pomme rappelle la
première scène de tentation :
Ève et la pomme défendue
au paradis terrestre.

## Et pendant
ce temps,
en Italie…

Tiepolo peint le
carnaval de Venise.
De la foule masquée
émerge Pulcinella, le
polichinelle italien au
long nez et au grand
chapeau blanc.

*Giandomenico Tiepolo,*
*Scène de Carnaval,*
*vers 1754-1755*

79

# Célébrités et illustres inconnus

Qu'ont en commun la marquise de Pompadour et un Pierrot de comédie ? Voltaire ou Diderot et madame Tronchin ? Pas grand-chose, sinon d'avoir appartenu à la même époque et de s'être fait représenter comme on aimait tant le faire au XVIIIᵉ siècle. Aujourd'hui, sur les murs du musée, ils partagent une même célébrité. Les inconnus d'hier ne sont pas les moins connus aujourd'hui.

## Chardin vu par Chardin

Chardin a 72 ans lorsqu'il dessine son portrait au pastel. Il se représente tel qu'il se voit dans la glace, en robe de chambre, un foulard autour du cou, un bonnet de nuit sur la tête.

*Jean-Siméon Chardin, Autoportrait dit à l'abat-jour, 1771*

## Un Pierrot dans la lune

Grand amateur de comédie italienne, Watteau peint ce Pierrot grandeur nature. Bras ballants dans son beau costume de satin blanc, il semble se demander ce qu'il fait là, au beau milieu de cette toile, tandis que, derrière lui, quatre personnages de comédie tiennent de mystérieux conciliabules.

*Jean-Antoine Watteau, Pierrot, 1718.*

## La Pompadour, aimée du roi

Ce pastel de plus de 1,70 mètre de haut représente madame de Pompadour, la favorite du roi Louis XV. La Tour mit trois ans pour le réaliser.

*Maurice Quentin de La Tour, Portrait de la marquise de Pompadour, vers 1755*

## Madame Tronchin

Madame Tronchin est suisse, tout comme Liotard qui réalisa ce pastel délicat où la vieille dame toute encapuchonnée – elle a 74 ans – esquisse un mystérieux demi-sourire.

*Jean-Étienne Liotard,*
*Portrait de madame Jean Tronchin, 1758*

*Jean-Honoré Fragonard,*
*Diderot, 1769*

## Bonjour monsieur Diderot !

L'œil vif, la mèche souple, le geste ample, voilà comment Fragonard a voulu représenter l'auteur de l'*Encyclopédie*. Rien de figé ni de convenu dans ce portrait qui ressemble à une esquisse. Un hommage libre à un penseur libre !

## Et pendant ce temps, en Grande-Bretagne...

C'est en 1788 que Reynolds peint ce portrait du petit Francis Hare. Eh oui, cette adorable petite fille en robe rose est... un garçon. À l'époque, il est courant pour les petits garçons d'avoir les cheveux longs et de porter des robes.

## Voltaire en chair et en os

Les Grecs et les Romains représentaient leurs héros nus. Le sculpteur Pigalle a voulu renouer avec cette tradition pour représenter le philosophe. Mais alors que les corps des antiques sont musclés et puissants, celui de Voltaire est osseux et flétri : c'est le portrait d'un vieillard. Qu'importe : c'est la pensée et non les muscles qui font l'héroïsme de Voltaire !

*Jean-Baptiste Pigalle,*
*Voltaire nu, 1776*

*Sir Josuah*
*Reynolds,*
*Master Hare,*
*1788*

# La vie de tous les jours

À une époque où l'on aime toujours les grandes scènes religieuses et mythologiques, des peintres se spécialisent dans les natures mortes ou les scènes intimistes appelées scènes de genre. Chardin se taille un tel succès avec *La Raie* que le roi Louis XV lui achète plusieurs peintures.

### Le fantôme de la raie

Ici, Chardin s'est inspiré des natures mortes flamandes en mêlant animaux morts et vivants. La présence du chat, hérissé de poils, est insolite. Mais c'est surtout cette raie blafarde et sanguinolente qui attire l'œil comme un fantôme grimaçant.

*Jean-Siméon Chardin,*
*La Raie, 1725*

### Un enfant sage

Avec sa perruque bien poudrée et son costume au gilet brodé, le petit modèle de Chardin ne quitte pas sa toupie des yeux. Moment de grâce, temps suspendu, Chardin n'a pas son pareil pour éterniser les moments les plus fugitifs.

*Jean-Siméon Chardin, L'Enfant au toton, vers 1738*

### Extra frais ▶

Quelques œufs dans un panier, un champignon fraîchement cueilli, deux pommes et une poignée de châtaignes, cette toute petite toile de Delaporte – 38 centimètres de haut sur 48 de large – remporte un vif succès en 1789, l'année même de la Révolution française.

*Henri Horace Roland Delaporte, Le Panier d'œufs, 1788*

## Photo de famille sous Louis XV

C'est l'heure du petit déjeuner ou du goûter. On va boire du chocolat. Les enfants ont apporté leurs jouets. C'est sans doute sa famille que le peintre François Boucher a représentée dans son bel appartement parisien.

*François Boucher,*
*Le Déjeuner, 1739*

*Luis Eugenio Melendez,*
*Nature morte aux figues,*
*vers 1760-1770*

## Et pendant ce temps-là en Espagne…

Melendez peint des natures mortes très réalistes où les objets semblent être éclairés par un projecteur à la lumière crue et vive.

# La Révolution gronde

À la fin du XVIII<sup>e</sup> siècle, la plus grande diversité règne : certains artistes peignent des scènes pleines de légèreté ou de tendresse, d'autres préfèrent traiter des sujets plus graves. L'Antiquité romaine est de nouveau à la mode. Est-ce le signal qu'une tourmente se prépare ? La société française est sens dessus dessous. En 1789, la Révolution française éclate.

Les révolutionnaires mettent fin à la monarchie et exécutent Louis XVI.

*Jacques-Louis David, Le Serment des Horaces, 1784*

## La victoire ou la mort ▶

Le peintre David se sent proche des révolutionnaires. Il peint trois frères de la légende romaine, les Horaces, au moment où ils prêtent serment à leur père de mourir plutôt que de vivre sous le joug d'un ennemi. Cette scène de l'Antiquité illustre bien l'idéal révolutionnaire.

## L'amour toujours

Le dieu Amour réveille par un tendre baiser la nymphe Psyché qui s'était endormie. Cette sculpture est d'une telle légèreté qu'on la croirait taillée avec le ciseau d'un dieu. Canova domine la vie artistique à Rome. Il travaille beaucoup pour Napoléon I<sup>er</sup> et sa famille.

*Antonio Canova, Psyché ranimée par le baiser de l'Amour, 1793*

## La République, c'est elle

Cette femme opulente qui dévoile la *Déclaration des droits de l'homme et du citoyen* est la République en personne. En bon révolutionnaire, le peintre Chinard met son art au service du nouveau gouvernement.

*Joseph Chinard, La République, terre cuite, 1794*

### Elle adore sa fille

Madame Vigée Le Brun est le peintre préféré de la reine Marie-Antoinette. Elle s'est représentée tendrement enlacée avec sa fille. Elle est vêtue « à l'antique », à la mode de l'époque, et ses cheveux sont relevés comme ceux des statues grecques.

*Mme Vigée Le Brun,*
*Autoportrait avec sa fille, 1789*

### La dame à la rose

Sa robe est sombre, son visage grave. La grande fleur rose sur sa chevelure est le seul luxe que s'est permis cette grande dame espagnole qui, déjà malade, va bientôt mourir. Peintre du roi, protégé des grands, Goya est le portraitiste espagnol en vogue.

*Goya, Portrait de la comtesse del Carpio,*
*marquise de la Solana, vers 1792-1793*

# Au XIXᵉ siècle, tout change

*Antoine-Jean Gros,*
*Bonaparte*
*au pont d'Arcole,*
*1796*

## Saisi sur le vif

Aucun artiste n'a su
raconter mieux que Gros
la légende napoléonienne.
Il représente ici le jeune
général Bonaparte qui attaque
40 000 Autrichiens en
novembre 1796 : un drapeau
à la main, il lance ses troupes
à l'assaut du pont d'Arcole.

## Du petit Corse…

La Révolution française a été sanglante. Les
Français ont besoin de reprendre confiance.
Un héros va-t-il les sauver ? C'est Napoléon
Bonaparte, général à 22 ans, qui gagne leur
cœur. Quinze ans après le début de la
Révolution, il devient empereur sous le
nom de Napoléon Iᵉʳ. L'Empire ne dure
que 11 ans : de 1804 à la débâcle définitive
des armées impériales, à Waterloo, en 1815.
Il a suffi de ce petit nombre d'années pour
changer le visage de la France qui rayonne
au-delà des frontières. De ses conquêtes,
Napoléon rapporte un grand nombre
d'œuvres d'art qui enrichissent
momentanément le Louvre : elles seront
presque toutes rendues en 1815.

## Sacré Napoléon !

Plus de 100 personnages peuplent ce gigantesque tableau représentant le sacre de Napoléon et de Joséphine. Et ce sont de vrais portraits ! David a choisi de peindre le moment où l'empereur pose la couronne sur la tête de sa femme. Napoléon est content : « Ce n'est pas une peinture, on marche dans votre tableau. » Quand on se met à droite, on a en effet l'impression de participer à la cérémonie.

David est impressionné par la personnalité de Bonaparte. Il voit en lui un héros, dans la lignée des généraux de l'histoire romaine. Il accepte de servir sa gloire en devenant le peintre officiel de l'Empire.

*Jacques Louis David, Le Couronnement de l'empereur Napoléon I$^{er}$ le 2 décembre 1804, 1805-1808*

# … au grand Napoléon

François Gérard,
*L'Empereur Napoléon I^er*
*en costume de sacre, 1805*

## Comme Louis XIV

Gérard s'est inspiré du portrait de Louis XIV par Rigaud pour cette représentation officielle de Napoléon. L'empereur prend la même pose, debout devant son trône sous un grand baldaquin. Des copies de ce tableau sont envoyées dans toutes les provinces et les pays conquis.

Martin-Guillaume
Biennais, *Service à thé*
*de Napoléon I^er, 1810*

## Guerre et peste

Gros peint Bonaparte qui rend visite
aux malades atteints de la peste, cette
terrible maladie qui décime les
soldats de son armée. Le pouvoir du
futur empereur semble divin, comme
si, d'un geste, il pouvait guérir les
malades. Derrière lui, un officier se
pince le nez en raison des odeurs
pestilentielles.

*Antoine Jean Gros,*
*Les Pestiférés de Jaffa,*
*1804*

### ◄ Thé chic

Napoléon a commandé ce précieux
service à thé en vermeil au moment
de son second mariage avec Marie-
Louise de Habsbourg, en 1810. Il l'a
fait décorer d'abeilles et d'aigles, les
nouveaux emblèmes qu'il a choisis
pour remplacer les fleurs de lys des
rois de France.

# Incroyable mais beau !

L'Empire se termine tragiquement en 1815 : Napoléon, le général invincible subit défaite sur défaite. Avec Louis XVIII et son frère Charles X, c'est la Restauration. La France est de nouveau gouvernée par les rois. Ils n'ont pas besoin, comme Napoléon, que l'art serve leur gloire. Les artistes font presque ce qu'ils veulent. C'est une époque où tout est possible et où l'on rivalise en prouesses techniques.

## Ultra fragile

Il fallait être une frêle jeune femme comme la duchesse de Berry pour s'asseoir sur un fauteuil de cristal. La table de toilette est également en cristal ! Cet ensemble unique est une prouesse technique incroyable.

*Toilette de l'escalier de cristal, 1819*

## Le dos le plus long

Ce dos interminable a plus de vertèbres qu'un dos normal. Ingres l'a certainement fait exprès : avec un dos moins long, cette femme aurait été banale. On le lui a reproché mais c'est précisément ce qui fait la beauté de ce nu.

*Ingres, La Grande Odalisque, 1814*

## Drame en mer ▶

La frégate *La Méduse* sombre au large des côtes d'Afrique. 150 hommes dérivent sur un radeau pendant 13 jours. 15 seulement survivent et sont sauvés par le navire qu'on aperçoit au loin. Ils raconteront les scènes de folie et de cannibalisme. Pour donner plus de vérité aux morts, Géricault a étudié de vrais cadavres.

*Géricault, Le Radeau de La Méduse, 1819*

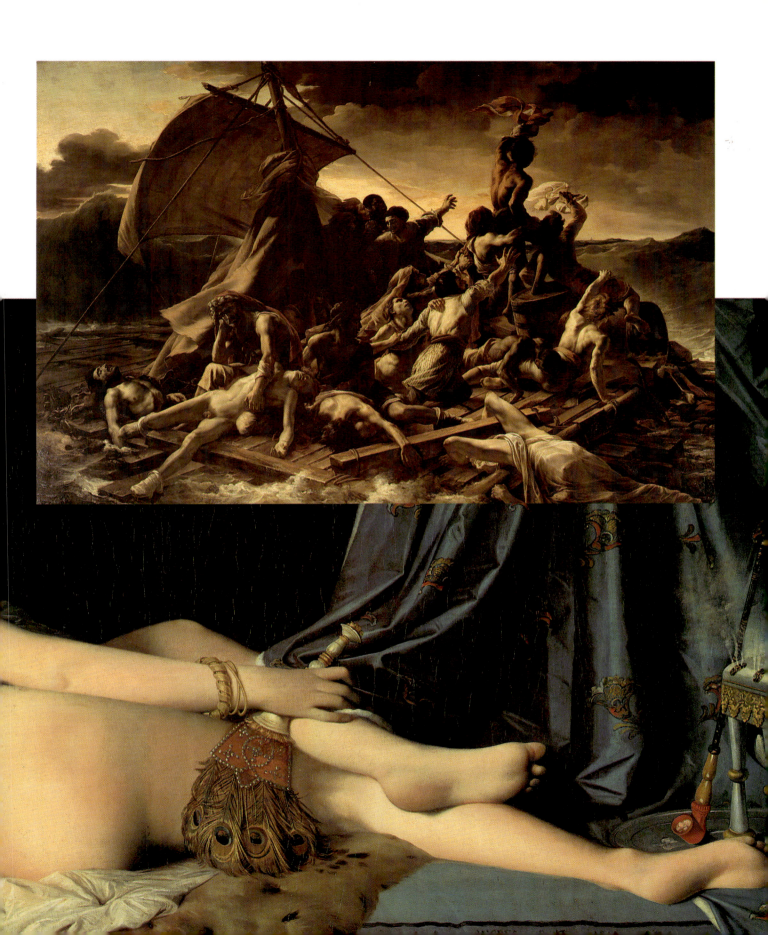

# La fin d'un monde

Les révolutions se succèdent, celles de 1830, de 1848… Fini la royauté ! Place à la République… puis au Second Empire. Les artistes deviennent indépendants. Ils peignent des sujets qui leur plaisent vraiment,… la nature par exemple.

## La liberté en marche ▶

Cette femme coiffée du bonnet révolutionnaire qui brandit fièrement le drapeau français est la Liberté. Aussi peu vêtue qu'une déesse grecque, elle entraîne le peuple à se révolter. C'est une apparition. Mais les morts, eux, sont bien réels. Delacroix peint ce tableau peu après la révolution de 1830 qui renverse le roi Charles X. Son successeur, Louis-Philippe, l'apprécie tant qu'il l'achète !

*Eugène Delacroix,*
*La Liberté*
*guidant le peuple,*
*1830.*

## L'amour de la nature, tout simplement

Corot peint ce petit tableau en Italie, dont il aime la lumière dorée. Il est l'un des premiers à peindre la nature pour elle-même, telle qu'il la voit. Plus tard, les impressionnistes continueront dans cette voie. Eux aussi travailleront sur la lumière, en cherchant à capter l'instant présent. Beaucoup de leurs toiles se trouvent au musée d'Orsay.

*Jean-Baptiste Camille Corot,*
*Les Jardins de la villa d'Este*
*à Tivoli, 1843*

## Le plus fort gagne

Ce n'est pas un hasard si ce lion paraît vivant : Barye se rendait tous les jours à la Ménagerie du Jardin des Plantes pour étudier les animaux. Le fauve représente le roi Louis-Philippe se débarrassant de ses ennemis, ici symbolisés par le serpent.

*Antoine-Louis Barye,*
*Lion au serpent,*
*1832-1835.*

# 800 ans d'histoire

une forteresse imprenable où l'on peut se réfugier en cas d'attaque. Mais très vite, il sert surtout de prison. En 1214, Philippe Auguste y fait enfermer Ferrand, le comte de Flandres, qui l'a trahi à la bataille de Bouvines. C'est la première fois dans l'histoire que le Louvre est mentionné. De ce Louvre du Moyen Âge subsistent aujourd'hui la base de la forteresse et les fossés de Philippe-Auguste que l'on peut visiter sous la cour carrée.

*Les remparts et les fossés*

## 1189
### CONSTRUIT
#### par Philippe-Auguste

Ce n'est pas pour y habiter que le roi Philippe-Auguste fait construire le Louvre mais pour mieux défendre Paris. Le nouveau château fort a deux ponts-levis, des remparts et de profonds fossés remplis d'eau. Au centre de sa grande cour rectangulaire se dresse un énorme donjon de trente mètre de haut. Le Louvre est

## Vers 1364-1369
### TRANSFORMÉ
#### par Charles V

Le roi Charles V décide de transformer l'imposante forteresse en un élégant château. Il fait percer des fenêtres, planter un beau jardin, commande des boiseries, des statues, des vitraux. Lorsqu'il s'y installe, le nouveau palais a fière allure avec ses dix tours rondes s'élançant vers le ciel.

## 1528-1558
### RENOVÉ
#### par François Ier et Henri II

À la Renaissance, François Ier s'occupe du Louvre qui en a bien besoin. Depuis 150 ans, il tombe en ruine. Il fait raser le grand donjon et dégager la cour carrée. Son fils, Henri II, fait construire une nouvelle aile dans le style raffiné de l'époque.

*La salle des caryatides, aménagée à la Renaissance*

## 1595-1610
### AGRANDI
#### par Henri IV

Henri IV a de grands projets pour son château. Il fait construire une galerie de 500 mètres le long de la Seine pour relier le vieux palais du Louvre au nouveau palais des Tuileries dont Catherine de Médicis, la veuve d'Henri II, a lancé les travaux.

*Le Louvre de Charles V, détail d'un tableau du XIVe siècle*

*Le Grand Louvre imaginé par d'Henri IV*

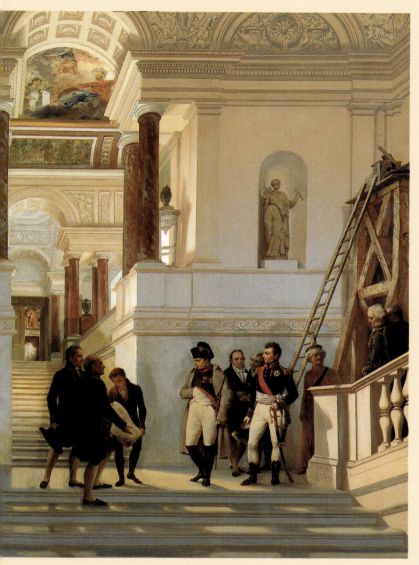

*Napoléon I<sup>er</sup> visitant l'escalier du Louvre*

## Vers 1850-1870
### « NAPOLÉONISÉ »

Napoléon III donne au Louvre l'aspect que nous lui connaissons aujourd'hui. Il double pratiquement la surface du palais qui est alors à la fois un musée, la résidence impériale et le siège du gouvernement. En 1871, lors de la semaine sanglante de la Commune, les parisiens révoltés mettent le feu au Palais des Tuileries qui sera rasé.

*Détail d'un tableau de V. J. Chavet*

*Les appartements Napoléon III*

## 1981-2000
### MODERNISÉ
#### par François Mitterrand

Le Président de la République lance le projet « Grand Louvre » qui durera 20 ans. L'architecte Ieoh Ming Pei dessine la pyramide de verre qui marque désormais l'entrée du Louvre. L'ancien palais des rois de France devient le plus grand musée du monde

*Le Louvre actuel*

## 1652-1665
### EMBELLI
#### par Louis XIV

Le Roi Soleil veut que le Louvre soit digne de lui. Il multiplie par quatre la surface de la cour carrée et fait construire une superbe façade ornée de colonnes : la colonnade. Il fait décorer l'intérieur et en particulier la galerie d'Apollon.

## 1793-1814
### DETOURNÉ
#### par les révolutionnaires et Napoléon I<sup>er</sup>

Après la mort de louis XVI, le Louvre cesse d'être le palais des rois pour devenir un musée. Les révolutionnaires y exposent les collections royales et les œuvres d'arts prises dans les églises ou chez les nobles. Plus tard Napoléon I<sup>er</sup> étendra le musée et lui donnera son nom.

# Petit Louvre pratique

### Comment entrer au Louvre ?

On peut entrer au musée par la pyramide
mais aussi par la galerie du Carrousel ou la porte des Lions
située sur le quai de Seine.

### À quel prix ?

L'entrée est gratuite pour les enfants jusqu'à dix-huit ans,
et pour tous le premier dimanche de chaque mois.

### Quels jours ?

Tous les jours sauf le mardi.

### À quelle heure ?

De 9 heures à 18 heures. Mais aussi deux soirs par semaine
jusqu'à 21 heures 45 : le lundi pour une visite partielle
des collections et le mercredi pour l'ensemble du musée.

### Où trouver des informations ?

Des plans sont à la disposition des visiteurs sous la pyramide.
Autres informations par serveur vocal au 01 40 20 53 17,
sur minitel, 3615 Louvre,
ou sur internet : www.louvre.fr

### Quelles activités faire au Louvre ?

On peut suivre des visites-conférences
pendant les vacances scolaires et des ateliers le mercredi,
le samedi et tous les jours pendant les vacances scolaires.
Les programmes, publiés tous les trimestres,
sont disponibles au comptoir d'accueil sous la pyramide
ou sur simple demande au :
Service culturel
activités en ateliers
musée du Louvre, 75058, Paris Cedex 1

### Et encore ?

On peut manger ou boire dans les nombreux cafés
ou restaurants, trouver des livres, des cartes postales, des affiches,
des vidéos et des CDRom dans les librairies, voir des CDRom,
naviguer sur le web et consulter les bases de données
dans la cyber galerie. On trouve également un grand auditorium
pour écouter de la musique ou des conférences et voir des films.

**Crédits photographiques**

Agence photographique de la Réunion des musées nationaux
(clichés Daniel Arnaudet, Martine Beck-Coppola, Gérard Blot, Jean-Gilles Berizzi, Chuzeville,
Vyvien Guy, S. Hubert, C. Jean, Ch. Larrieu, Hervé Lewandowski, René-Gabriel Ojeda,
Caroline Rose, Jean Schormans, Peter Willi), à l'exception de :
Deidi von Schaewen : p. 4-5

Cet ouvrage a été achevé d'imprimer en septembre 1999
sur les presses de l'imprimerie Aubin, à Poitiers.
Les illustrations ont été gravées par IGS, à l'Isle d'Espagnac.

Premier dépôt légal : septembre 1999
Dépôt légal : décembre 2003
ISBN : 2-7118-3836-6
JA 10 3836